terres de la Bible

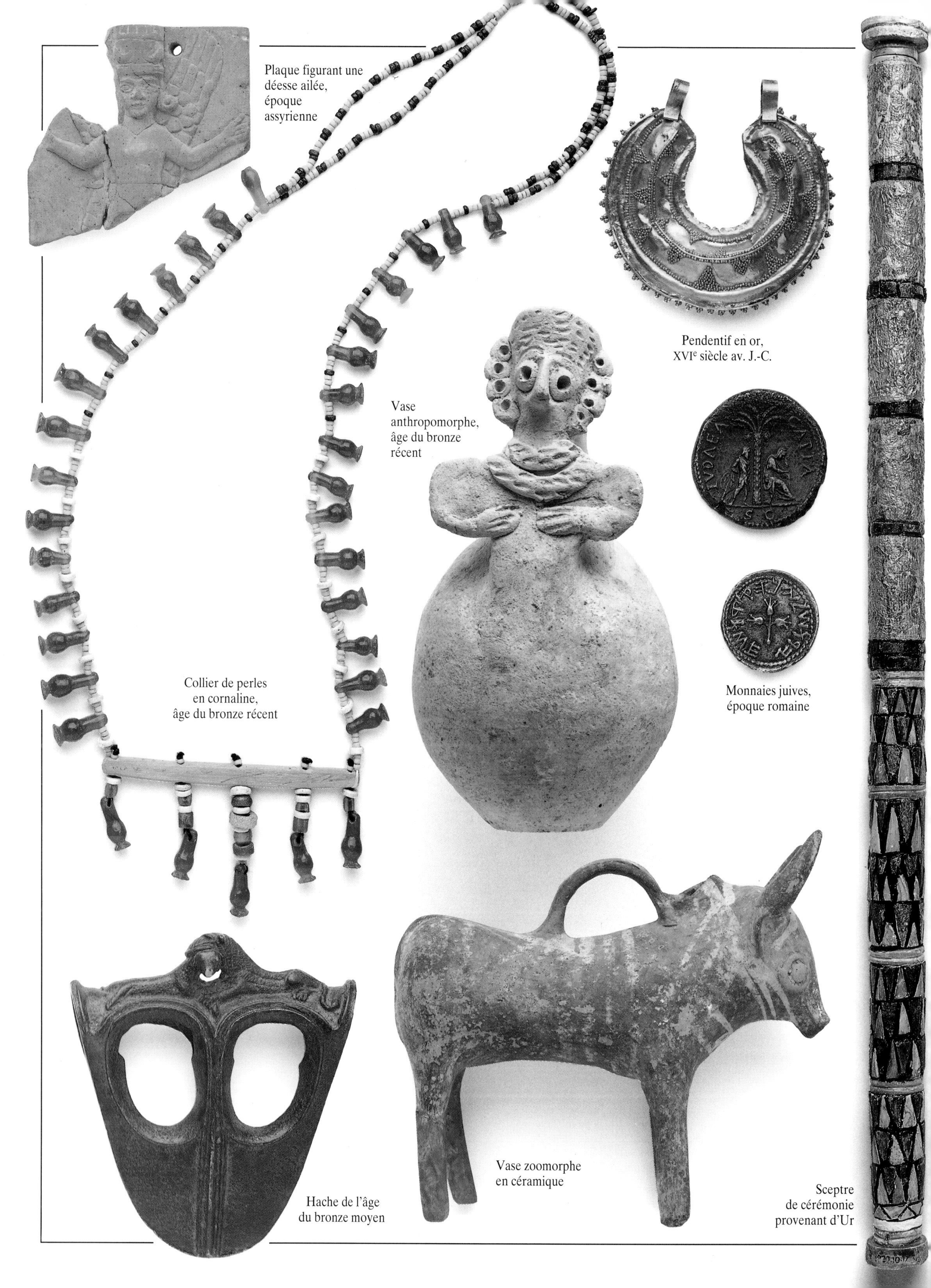

Plaque figurant une déesse ailée, époque assyrienne

Pendentif en or, XVIe siècle av. J.-C.

Vase anthropomorphe, âge du bronze récent

Monnaies juives, époque romaine

Collier de perles en cornaline, âge du bronze récent

Vase zoomorphe en céramique

Hache de l'âge du bronze moyen

Sceptre de cérémonie provenant d'Ur

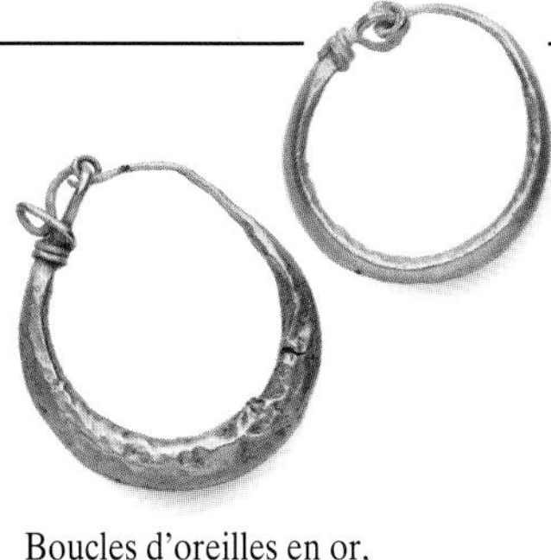
Boucles d'oreilles en or, époque romaine

terres de la Bible

Agrafes en or et en bronze

par

Jonathan N. Tubb

en association avec le British Museum, Londres

Photographies originales de Alan Hills et Barbara Winter du British Museum et de Karl Shone

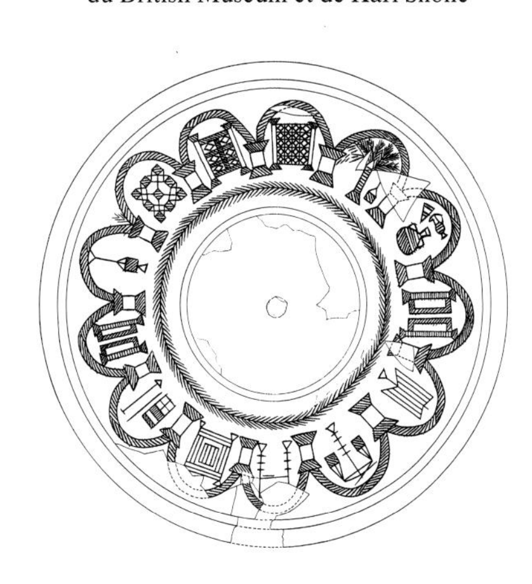

Tête de lion, sculpture assyrienne

Tête d'ivoire sculptée, XIIIe siècle av. J.-C.

Plaque en ivoire provenant de Nimrud, VIIIe siècle av. J.-C.

Vases phéniciens en pâte de verre

GALLIMARD

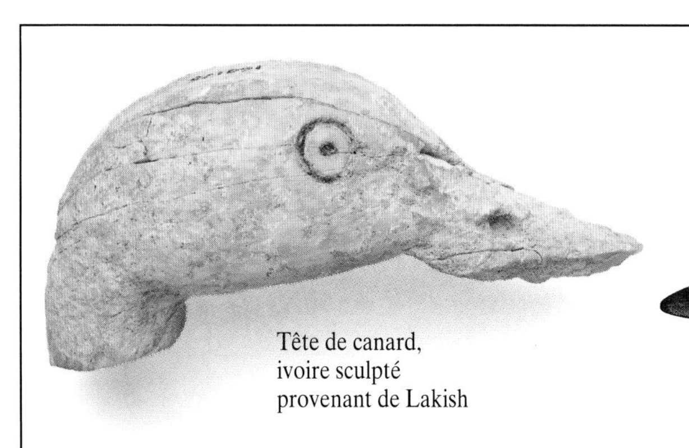

Tête de canard, ivoire sculpté provenant de Lakish

Lampe en bronze, époque romaine

Sceau de style égyptien

Garde du palais royal sur une frise perse

Ivoire sculpté trouvé à Nimrud

Comité éditorial

Londres :

Martin Atcherley, Louise Barratt, Julia Harris, Diana Morris, Helen Parker et Phil Wilkinson

Paris :

Christine Baker, Manne Héron et Jacques Marziou

Edition française préparée par Jean Prignaud, ancien professeur à l'Ecole biblique archéologique française de Jérusalem

Publié sous la direction de

Peter Kindersley, Jean-Olivier Héron et Pierre Marchand

ISBN 2-07-056587-4
La conception de cette collection est le fruit d'une collaboration entre les Editions Gallimard et Dorling Kindersley.

Loi n° 49-956 du 16 juillet 1949 sur les publications destinées à la jeunesse
1er dépôt légal : septembre 1991
Dépôt légal : juin 2000. N° d'édition : 95512
Imprimé en Chine par Toppan Printing Co., (Shenzen) Ltd

Cervidé en argent, époque perse

Bol en argent, époque perse

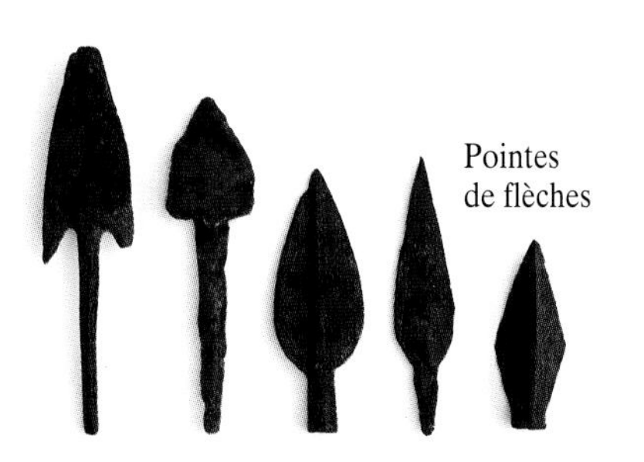

Pointes de flèches

SOMMAIRE

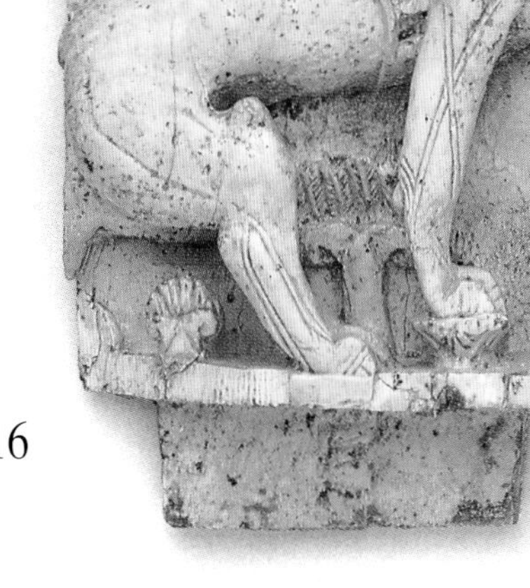

Sculpture sur ivoire, sphinx ailé

Paysage près de la mer Morte

PORTRAIT D'UNE TERRE PROMISE

Région d'une grande diversité, la Terre sainte se divise d'ouest en est en quatre zones. C'est d'abord une plaine côtière, de basse altitude : aride au sud, elle se rétrécit et présente des marécages et des lagunes en remontant vers le nord. Puis vient la zone des collines : irriguée et fertile sur son versant occidental, elle devient l'épine dorsale du pays en prenant de l'altitude. Elle surplombe la troisième zone, la vallée du Jourdain, presque dépourvue de précipitations. Le haut pays et le plateau de Jordanie constituent la quatrième région : le haut pays est formé de montagnes de vieilles roches au sud et de collines onduleuses au nord ; quant au plateau, les terres arables qui le composent laissent bientôt place à une steppe aride et enfin au désert.

Près de la mer Morte, en regardant vers l'est : au fond, les monts de Moab

Village de Dir-Zamet, près d'Hébron

Rocher érodé appelé «la femme de Lot», près de la mer Morte

PAYS BIBLIQUE
La Terre sainte est située à l'extrémité orientale de la Méditerranée (le Levant). La carte indique l'emplacement des sites les plus importants mentionnés dans l'ouvrage.

Jérusalem vue par le peintre allemand Carl Werner (1809-1894)

Le mont Sinaï (au sud) a été le théâtre de plusieurs récits bibliques.

Paysage près du lac de Galilée (dit aussi de Tibériade)

Bâteaux de pêche sur le lac de Tibériade

CHRONOLOGIE DU PAYS BIBLIQUE

Paléolithique (ancien âge de la pierre)	-700000 à -15000
Mésolithique (moyen âge de la pierre)	-15000 à -8300
Néolithique (âge de la pierre polie)	-8000 à -4500
Chalcolithique	-4500 à -3200
Age du bronze ancien	-3200 à -2000
Age du bronze moyen	-2000 à -1550
Age du bronze récent	-1550 à -1200
Age du fer	-1200 à -586
Périodes babylonienne et perse	-586 à -332
Période hellénistique	-332 à -37
Epoque romaine	-37 à 324 apr. J.-C.
Epoque byzantine	324 – 640
Première époque arabe	640 – 1099

SA MÉMOIRE EST D'ARGILE

Nos connaissances sur les débuts de la préhistoire en Terre sainte proviennent essentiellement du site de Jéricho, près de l'extrémité septentrionale de la mer Morte. Des fouilles ont mis au jour une série d'installations remontant à quelque 10 000 ans avant l'ère chrétienne. C'est alors que les chasseurs du Mésolithique se fixent sur le site. Ils vivent d'abord dans des abris fragiles, faits de peaux de bêtes tendues sur des perches, puis dans des maisons, en briques séchées au soleil. La sédentarisation de ces populations inaugure une étape décisive qui aboutira au stade de la culture et de la domestication, connu sous le nom de « révolution néolithique ». Jéricho n'est pas un cas isolé : dans les 3 000 ans qui suivent, surgissent dans toute cette région de petits villages de fermiers. Au cours du Néolithique (environ 8000 à 4500 av. J.-C.), on se sert d'armes et d'outils en pierre, en silex ou en obsidienne. La phase précéramique, ou Néolithique ancien, est celle des arts et des métiers. Vers 5500 av. J.-C., apparaît la poterie, et quelque 1 000 ans plus tard, le cuivre : ainsi commence la période chalcolithique, du grec « khalkos » et « lithos » signifiant « cuivre » et « pierre ».

UN VISAGE PEINT
Au Néolithique précéramique, on sépare parfois le crâne du squelette pour reconstituer à l'aide d'un emplâtre les traits du visage du mort, les cheveux étant peints avec des pigments rouges ou noirs. Cette pratique révèle peut-être une forme de culte des ancêtres. On voit ici l'un des nombreux crânes enfouis sous le sol des maisons à Jéricho.

LA PREMIÈRE VILLE
A la différence des simples villages dépourvus de murs de défense, Jéricho devient, à l'époque du Néolithique précéramique, une véritable ville enceinte de remparts massifs. Ci-contre, les vestiges d'une grosse tour en pierre.

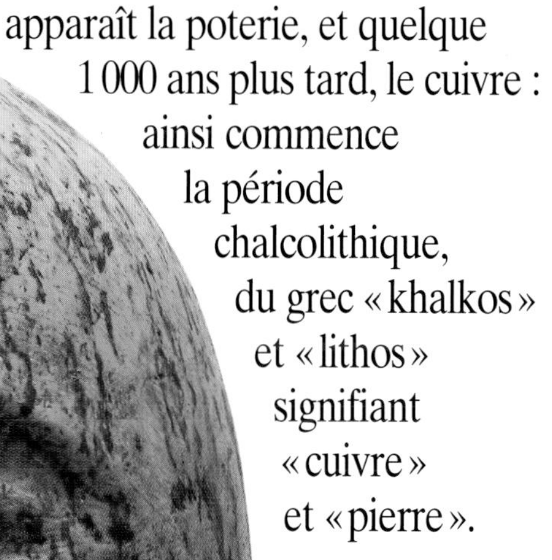

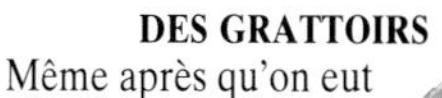

DES GRATTOIRS
Même après qu'on eut appris à travailler le cuivre, on utilise encore des outils de silex. Ces «grattoirs en éventail» servaient peut-être à la préparation des peaux pour la confection des vêtements.

Grattoir en éventail

Grattoir

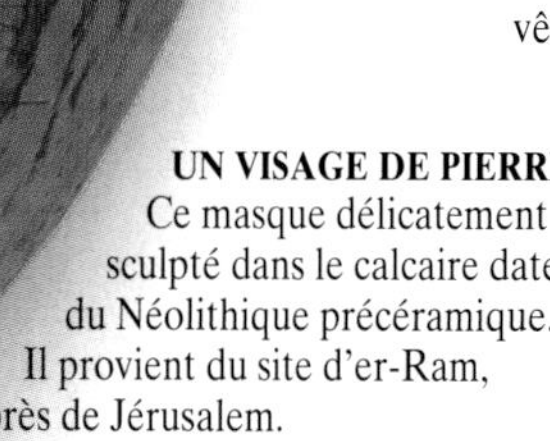

UN VISAGE DE PIERRE
Ce masque délicatement sculpté dans le calcaire date du Néolithique précéramique. Il provient du site d'er-Ram, près de Jérusalem.

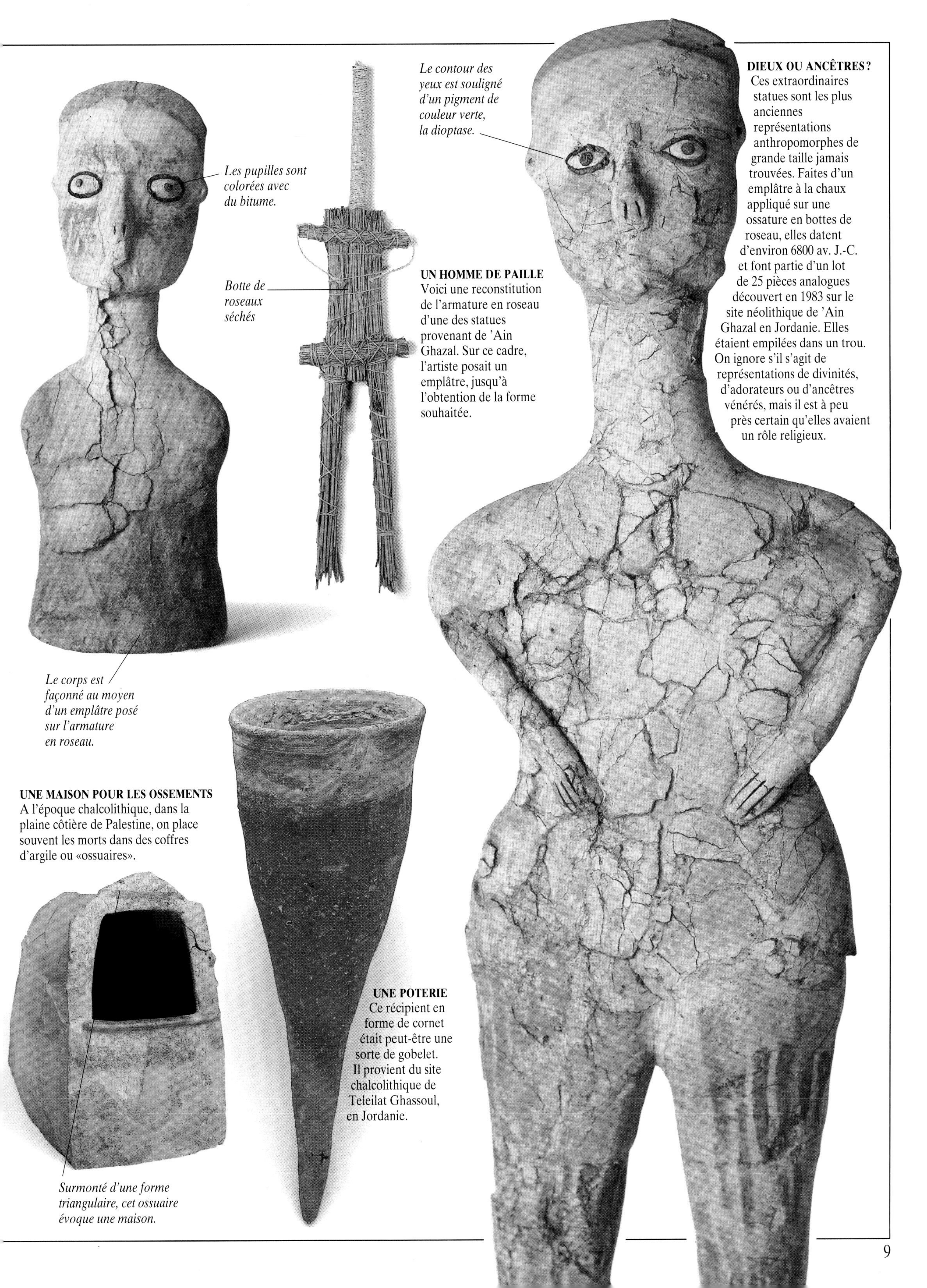

Les pupilles sont colorées avec du bitume.

Le contour des yeux est souligné d'un pigment de couleur verte, la dioptase.

Botte de roseaux séchés

UN HOMME DE PAILLE
Voici une reconstitution de l'armature en roseau d'une des statues provenant de 'Ain Ghazal. Sur ce cadre, l'artiste posait un emplâtre, jusqu'à l'obtention de la forme souhaitée.

DIEUX OU ANCÊTRES ?
Ces extraordinaires statues sont les plus anciennes représentations anthropomorphes de grande taille jamais trouvées. Faites d'un emplâtre à la chaux appliqué sur une ossature en bottes de roseau, elles datent d'environ 6800 av. J.-C. et font partie d'un lot de 25 pièces analogues découvert en 1983 sur le site néolithique de 'Ain Ghazal en Jordanie. Elles étaient empilées dans un trou. On ignore s'il s'agit de représentations de divinités, d'adorateurs ou d'ancêtres vénérés, mais il est à peu près certain qu'elles avaient un rôle religieux.

Le corps est façonné au moyen d'un emplâtre posé sur l'armature en roseau.

UNE MAISON POUR LES OSSEMENTS
A l'époque chalcolithique, dans la plaine côtière de Palestine, on place souvent les morts dans des coffres d'argile ou «ossuaires».

UNE POTERIE
Ce récipient en forme de cornet était peut-être une sorte de gobelet. Il provient du site chalcolithique de Teleilat Ghassoul, en Jordanie.

Surmonté d'une forme triangulaire, cet ossuaire évoque une maison.

LES PATRIARCHES, ANCÊTRES DU PEUPLE HÉBREU

Abraham, Isaac, Jacob et Joseph sont les patriarches du livre de la Genèse. On voit en eux les « pères fondateurs » de ce qui devait devenir Israël. L'archéologie a fourni une riche moisson d'informations sur l'époque à laquelle leur histoire est située et sur la civilisation des pays qu'ils ont dû parcourir. Les aventures des patriarches se sont sans doute déroulées entre 2600 et 1800 av. J.-C. Abraham est le plus ancien, Joseph, en Égypte, le plus récent. La tradition indique qu'Abraham se rendit d'Ur en Canaan, en passant par Haran. La ville d'Ur est située à peu près à mi-chemin entre Bagdad et le golfe Persique ; Haran, à l'autre extrémité de la Mésopotamie, dans le Kurdistan turc. Sans que l'on ait de preuves archéologiques, un tel déplacement était tout à fait possible.

Il y a quelque 4 000 ans, à Ur, les femmes de l'aristocratie utilisaient ce genre de coquille pour disposer leurs fards.

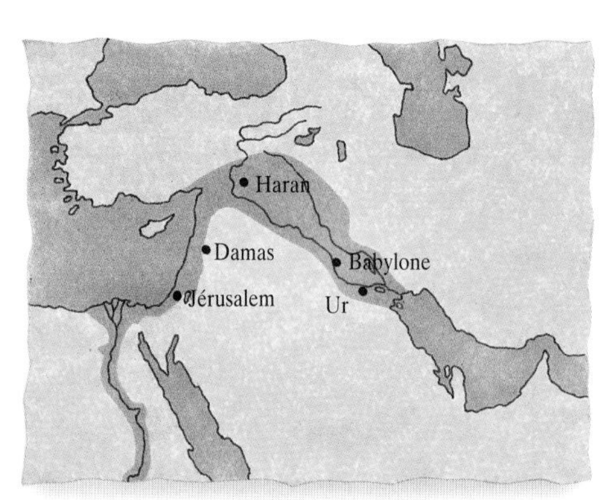

LA ROUTE DES PATRIARCHES
Cette carte est celle des régions qui ont vu passer les patriarches. Ils accompagnaient des caravanes de marchands ou suivaient les bédouins, s'initiant ainsi à la vie nomade.

TRÉSORS ROYAUX
A l'époque où Abraham la quitte, Ur est une cité florissante. Dans les années 1920 et 1930, l'Anglais Leonard Woolley y explora de nombreuses tombes contenant de riches présents destinés à l'autre vie, tel ce bâton de cérémonie décoré d'or, de lapis-lazuli et de nacre.

UN TEMPLE EN FORME DE TOUR
A Ur, un des édifices les plus imposants était la ziggourat, sorte de tour bâtie en briques séchées, haute de plusieurs étages, et surmontée d'un temple. La Tour de Babel de la Bible (dans la cité de Babylone) devait avoir une structure analogue.

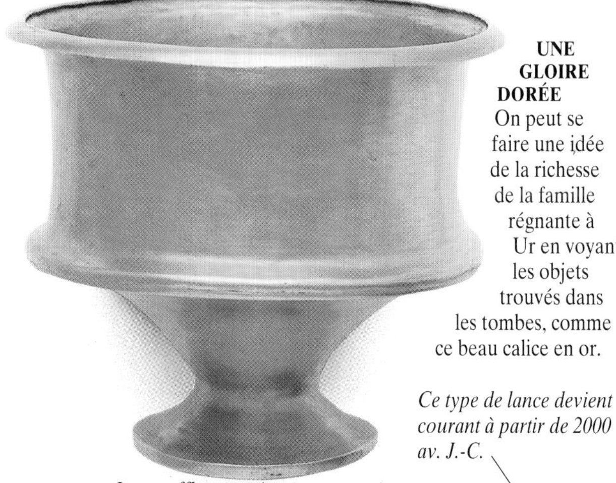

UNE GLOIRE DORÉE
On peut se faire une idée de la richesse de la famille régnante à Ur en voyant les objets trouvés dans les tombes, comme ce beau calice en or.

Arc ordinaire

On a trouvé à Ur des vestiges d'instruments semblables à cette lyre.

Tunique en laine teinte et brodée

Les soufflets suggèrent que certains visiteurs travaillaient le métal.

Ce type de lance devient courant à partir de 2000 av. J.-C.

Hache à bec courbe (p. 47)

L'âne est une des toutes premières bêtes de somme.

Les femmes portent des chaussures.

Les hommes portent des sandales.

UN BOL DE PATRIARCHE ?
Ce type de récipient en céramique fine est très répandu en Syrie du Nord à l'époque des patriarches.

POUR LES MORTS
En Canaan, on ensevelissait souvent les morts dans des pièces creusées à même le roc, auxquelles on accédait par des puits verticaux. On déposait, près du corps, de la poterie et des armes, et parfois même des bijoux, comme ce collier provenant d'une tombe de Tiwal esh-Sharqi et datant d'environ 2200 av. J.-C.

AU PLAISIR DU BUVEUR
Ce curieux vase anthropomorphe provient du nord de la Syrie. Le liquide entrait par des trous pratiqués sous la base : en appuyant le pouce sur une ouverture étroite au sommet de la tête, on retenait le liquide, et on le libérait en relâchant la pression, à la manière d'une pipette.

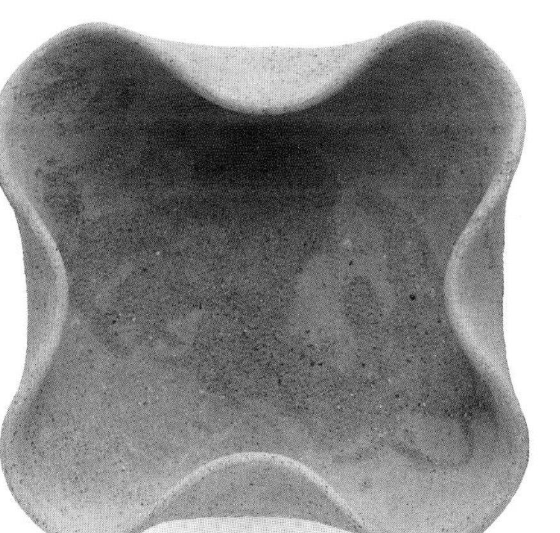

UNE LUEUR HUILEUSE
En Canaan, on s'éclairait en brûlant de l'huile de poisson. Mais la lumière était si faible qu'on se servait de lampes à quatre mèches.

POUR FAIRE LE YAOURT
Le yaourt (alors appelé *leben*) occupe depuis toujours une place importante dans l'alimentation en Méditerranée orientale. Ces deux vases provenant de Jordanie ont pu servir à le préparer.

Epée «en forme de faucille» *Jupe de laine* *Le chef du groupe se nomme Abasha.*

DES VISITEURS VENUS DE CANAAN
Le récit des aventures de Joseph en Egypte se situe aux alentours de 2000 à 1800 av. J.-C.; l'archéologie atteste pour cette époque la venue dans ce pays de gens originaires d'Asie. Ces peintures murales de Beni Hassan proviennent de la tombe d'un égyptien du nom de Amenhemet. On y voit un groupe de Cananéens arrivant à la cour d'Egypte.

ISRAËL ET L'ÉGYPTE

À l'âge du bronze ancien, l'ouverture de voies commerciales avec l'Égypte permit le développement en Canaan d'une économie urbaine prospère. À l'âge du bronze moyen, des Cananéens pénétrèrent en Égypte, dans le Delta, et y fondèrent une dynastie locale, celle des « Hyksos », qui finit par dominer toute l'Égypte. C'est seulement à l'âge du bronze récent, vers 1550, que les pharaons égyptiens réussirent à les chasser. L'Égypte imposait alors à Canaan de lourdes taxes, mais les cités y gagnaient en sécurité et obtenaient un meilleur accès aux grandes places du commerce international. Sous le règne de Ramsès II (1301-1235 av. J.-C.), l'empire fut réorganisé. De nombreux citadins, ayant perdu leur foyer, émigrèrent alors dans le haut pays judéen et y fondèrent de petites colonies agricoles. Ces Cananéens déracinés, que les Égyptiens appelaient « Hapiru » (ou Hébreux), ont formé l'essentiel de ce qui allait devenir Israël.

SAUVÉ DES EAUX
Moïse, qui devait conduire l'exode des Hébreux, fut, d'après la Bible, abandonné dans les joncs où le trouva une princesse d'Egypte.

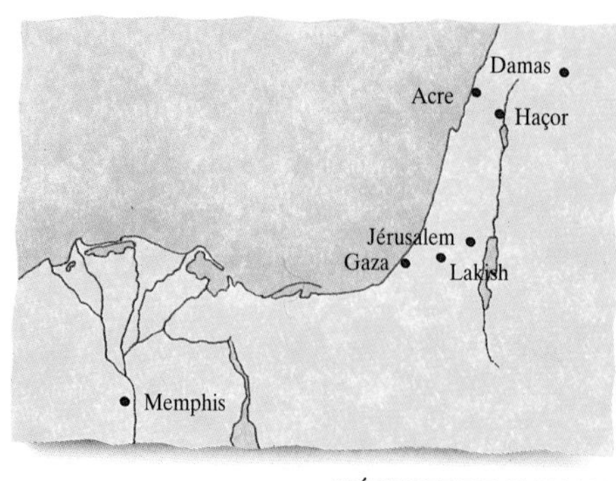

L'ÉGYPTE ET CANAAN
A l'âge du bronze récent, Canaan fait partie de l'Empire égyptien, les princes locaux sont les vassaux du pharaon. Des villes comme Bet-Shân et Gaza sont alors prospères.

UN SYMBOLE DU POUVOIR
La lame de cette hache de cérémonie est finement ajourée.

UNE LETTRE AU PHARAON
Les lettres d'Amarna contiennent les rapports des roitelets locaux à leur suzerain, le pharaon Aménophis III. On y parle des troubles fomentés par des bandes errantes, les «Hapiru», qui vivent à la frange des cités.

UNE FORTERESSE
Bet-Shân était l'un des principaux postes de contrôle des Egyptiens en Canaan. A l'époque de Ramsès II, il y avait là une importante garnison et un gouverneur égyptien.

ESCLAVES HÉBREUX ?
Un papyrus égyptien mentionne, comme la Bible, que des «Hapiru» étaient employés comme main-d'œuvre pour les grands travaux de Ramsès II dans le Delta oriental. Ce n'étaient pas nécessairement des esclaves, comme le suggère cette reconstitution du XIXe siècle, œuvre de l'Anglais Edward Poynter.

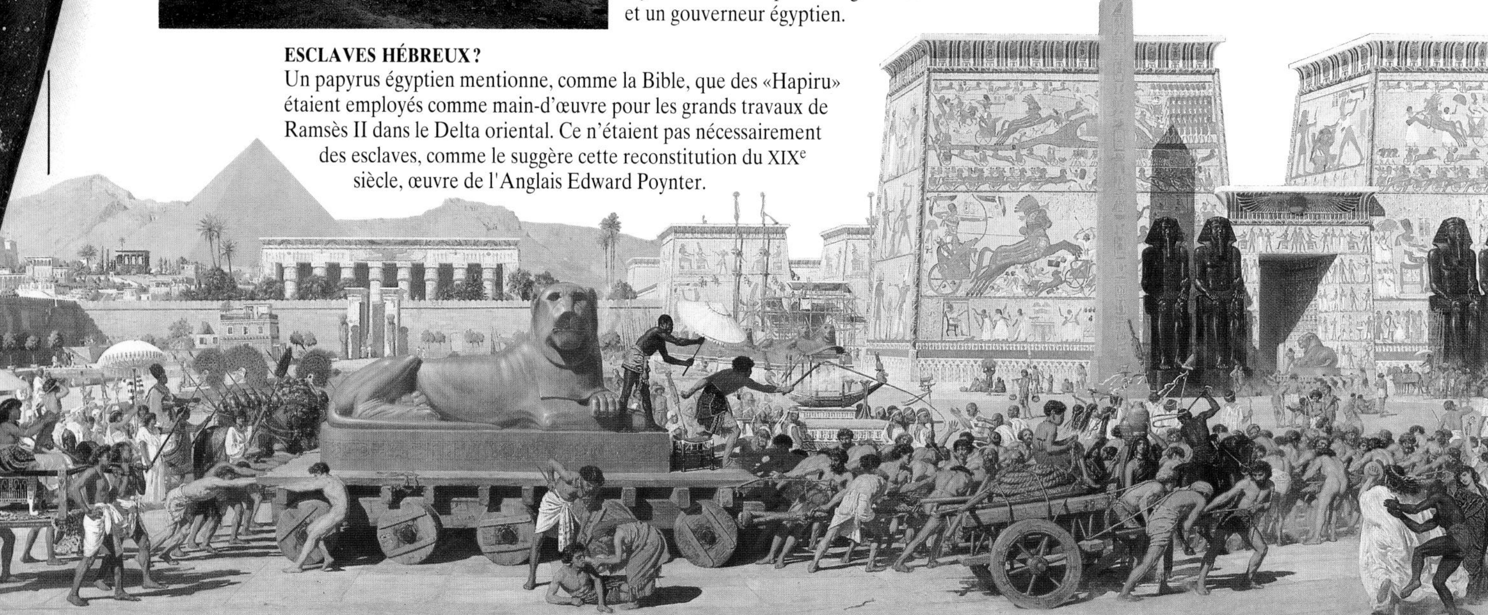

UNE TÊTE DE PHILISTIN
Comme d'autres «peuples de la mer», les Philistins plaçaient leurs morts dans des sarcophages très particuliers, en forme de «chausson». Le couvercle anthropoïde représentait un visage humain assez grossièrement façonné.

LES PHILISTINS

Sous le règne de Ramsès III (1198-1166 av. J.-C.), l'Empire égyptien eut à affronter une menace redoutable lors de l'invasion de populations venues de l'Egée ou de l'Anatolie méridionale et que l'on appela « les Peuples de la mer ». Les Philistins étaient du nombre. Ramsès réussit à les repousser des côtes d'Égypte dans une grande bataille navale, mais il ne put les empêcher de s'installer à l'extrémité sud de la bande côtière de Canaan.

LES PLUMES DU GUERRIER
Les guerriers philistins portaient des coiffures à plumes.

UN PHARAON HEUREUX
Ramsès II mit fin au long conflit qui opposa l'Egypte et les Hittites d'Anatolie. Après la bataille de Qadesh contre ces derniers, en 1289 av. J.-C., les Egyptiens signèrent un traité qui leur valut une période de paix et de prospérité. Ramsès II est très probablement le pharaon de l'Exode.

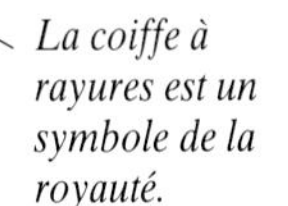

La coiffe à rayures est un symbole de la royauté.

Après la réorganisation de l'empire par Ramsès II, le nombre des installations agricoles s'accrut de façon spectaculaire dans les collines de la Judée.

LE PARTAGE DES EAUX
L'archéologie ne peut pas confirmer le récit biblique du passage de la mer Rouge lors de l'exode des Hébreux. Mais il n'est pas invraisemblable qu'un groupe de «Hapiru» ait quitté l'Egypte sous le règne de Ramsès II et se soit frayé un chemin jusqu'à la région montagneuse de la Judée.

SUR LES COLLINES DE L'HISTOIRE

Il est de coutume de nommer Cananéens les habitants de la Palestine aux âges du bronze moyen et récent. En fait, la civilisation cananéenne proprement dite s'est élaborée progressivement et l'on peut en faire remonter l'origine jusqu'au IVe millénaire. À cette époque il y avait en Égypte, en Syrie et en Mésopotamie une population urbaine qui connaissait l'écriture. Avec le développement des voies du commerce, ces progrès gagnèrent la Palestine et beaucoup de petits villages du Chalcolithique furent alors désertés. Aux alentours de 3200 av. J.-C., des populations nouvelles vinrent s'installer sur des sites vierges choisis pour leurs ressources naturelles et appelés à bénéficier d'un réseau croissant de relations commerciales. Par la suite, ces sites ne cesseront d'être occupés, pendant des milliers d'années, par des générations et des générations qui ont vécu et bâti sur les mêmes emplacements. Il en est résulté d'énormes collines artificielles faites de la superposition de sols et de débris. Ces tertres encore bien visibles aujourd'hui sont appelés «tells».

Portrait d'un Cananéen : ivoire de l'âge du bronze récent, à Lakish

La poterie cananéenne de l'âge du bronze ancien est élégante et de bonne facture.

Une «section», une coupe pratiquée verticalement dans un tell, fait apparaître des murs et des sols, des couches de cendre et de débris, des fosses et des fours, et bien d'autres éléments qui révèlent l'histoire de l'occupation du site.

La citadelle qui domine la ville moderne d'Alep, en Syrie, est un bon exemple de l'occupation ininterrompue d'un tell jusqu'à une époque relativement récente.

LA CLEF EST DANS LE SOL
Un tell est pour l'archéologue une mine d'informations sur le passé. C'est essentiellement une superposition de couches de brique crue, le matériau de construction par excellence dans ces régions. En fouillant les niveaux successifs d'occupation, on peut reconstituer à rebours l'histoire d'un site. Cette maquette de tell s'inspire de Tell Deir'Alla (la Sukkot de la Bible?) : elle a permis d'illustrer différentes méthodes de fouilles employées pour distinguer les séquences complexes des phases d'occupation.

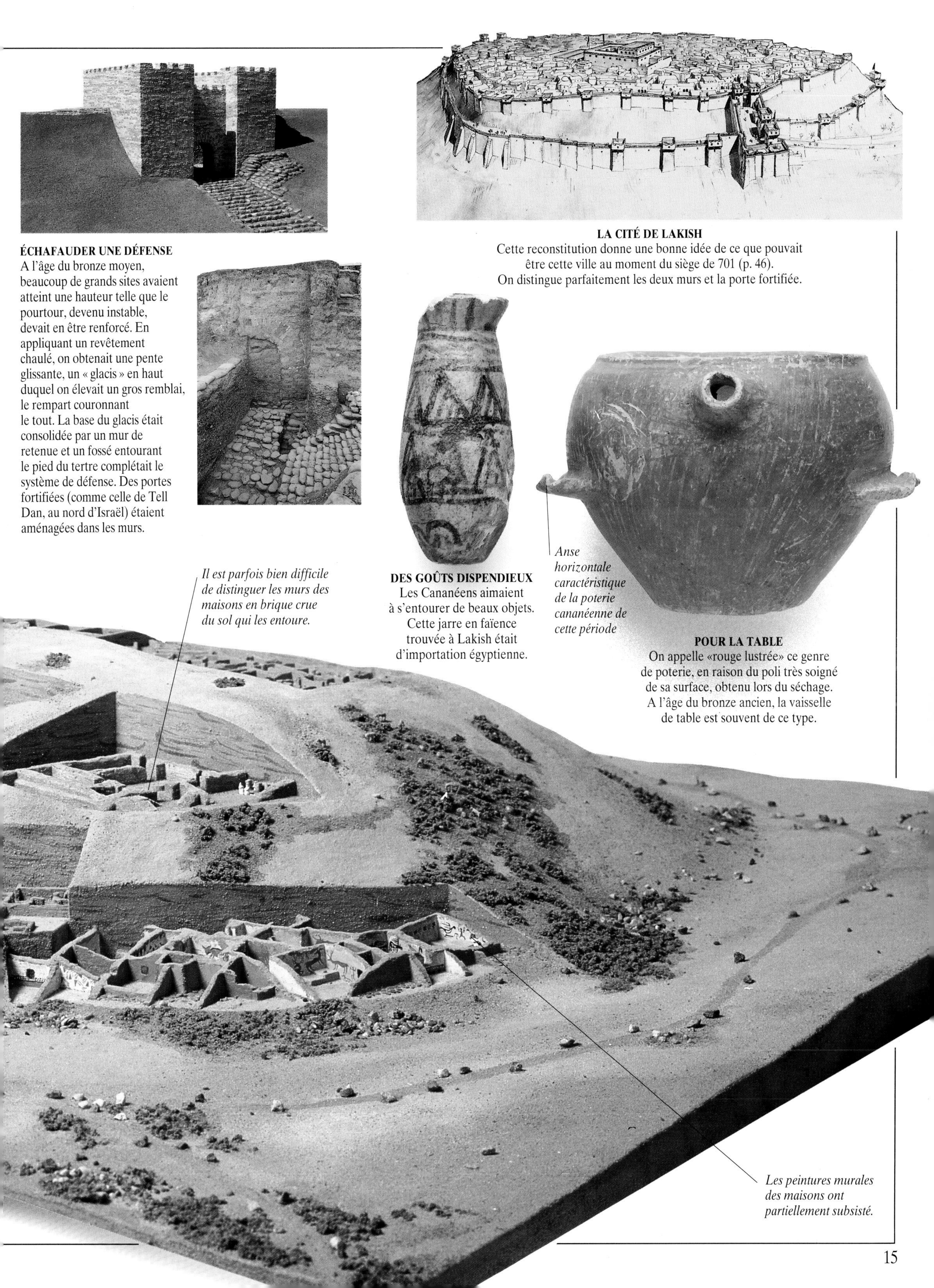

ÉCHAFAUDER UNE DÉFENSE
A l'âge du bronze moyen, beaucoup de grands sites avaient atteint une hauteur telle que le pourtour, devenu instable, devait en être renforcé. En appliquant un revêtement chaulé, on obtenait une pente glissante, un « glacis » en haut duquel on élevait un gros remblai, le rempart couronnant le tout. La base du glacis était consolidée par un mur de retenue et un fossé entourant le pied du tertre complétait le système de défense. Des portes fortifiées (comme celle de Tell Dan, au nord d'Israël) étaient aménagées dans les murs.

LA CITÉ DE LAKISH
Cette reconstitution donne une bonne idée de ce que pouvait être cette ville au moment du siège de 701 (p. 46). On distingue parfaitement les deux murs et la porte fortifiée.

DES GOÛTS DISPENDIEUX
Les Cananéens aimaient à s'entourer de beaux objets. Cette jarre en faïence trouvée à Lakish était d'importation égyptienne.

Anse horizontale caractéristique de la poterie cananéenne de cette période

POUR LA TABLE
On appelle «rouge lustrée» ce genre de poterie, en raison du poli très soigné de sa surface, obtenu lors du séchage. A l'âge du bronze ancien, la vaisselle de table est souvent de ce type.

Il est parfois bien difficile de distinguer les murs des maisons en brique crue du sol qui les entoure.

Les peintures murales des maisons ont partiellement subsisté.

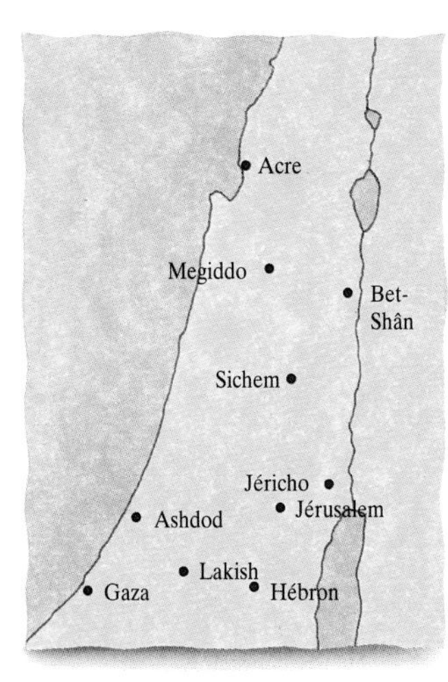

LE PAYS DE CANAAN
L'organisation politique de la Palestine à l'époque du bronze moyen se présentait sans doute comme un ensemble de cités-états, indépendantes, chacune étant dirigée par un prince et contrôlant son propre territoire. Celui-ci comprenait un certain nombre de villes et de villages vassaux.

LES BIENFAITS DE LA « PAIX CANANÉENNE »

C'est de l'âge du bronze moyen (2000-1550 av. J.-C. environ) que date le plein épanouissement de la civilisation cananéenne. Durant cette période, Canaan connut fort peu ces luttes de pouvoir et ces interventions étrangères qui dominèrent son histoire ultérieurement. Un tel climat fut propice au développement d'un réseau d'échanges commerciaux. Les rapports avec l'Égypte étaient intenses et les contacts avec la Syrie, l'Anatolie et Chypre se multiplièrent. L'art, l'architecture et l'artisanat s'approprièrent de nouvelles techniques, sous des influences diverses que les Cananéens surent remarquablement assimiler. À l'époque du bronze récent (1550-1200 av. J.-C. environ), Canaan passa sous la domination égyptienne et put alors étendre fort loin ses relations commerciales, jusqu'en Grèce continentale avec les Mycéniens. Mais la civilisation locale, désormais bien établie, continua de prospérer.

L'ATTRAIT DES ÉTOILES
Cette belle étoile en or provenant de Tell el-Ajjoul est un exemple typique de l'art des orfèvres cananéens au XVIe siècle av. J.-C.

DES VASES ET DES PALMES
A l'âge du bronze récent, la poterie cananéenne est souvent décorée de motifs de palmes et de bouquetins stylisés, comme sur ce gobelet provenant de Lakish.

ADÉQUATES
Les puisettes sont de petites cruches pour puiser dans des récipients plus grands. On les suspendait à l'aide d'une baguette que l'on passait dans l'anse et que l'on posait sur les bords de la jarre.

AU PLAISIR DU PÈLERIN
Les Cananéens étaient très inventifs : un gobelet est intégré à cette ingénieuse gourde de pèlerin, qui date de la fin de l'âge du bronze récent.

L'EMPREINTE ÉGYPTIENNE
En Canaan, une pratique courante consistait à marquer les objets de sceaux et de scarabées de style égyptien. Beaucoup étaient de fabrication locale et l'on en exportait même en Egypte.

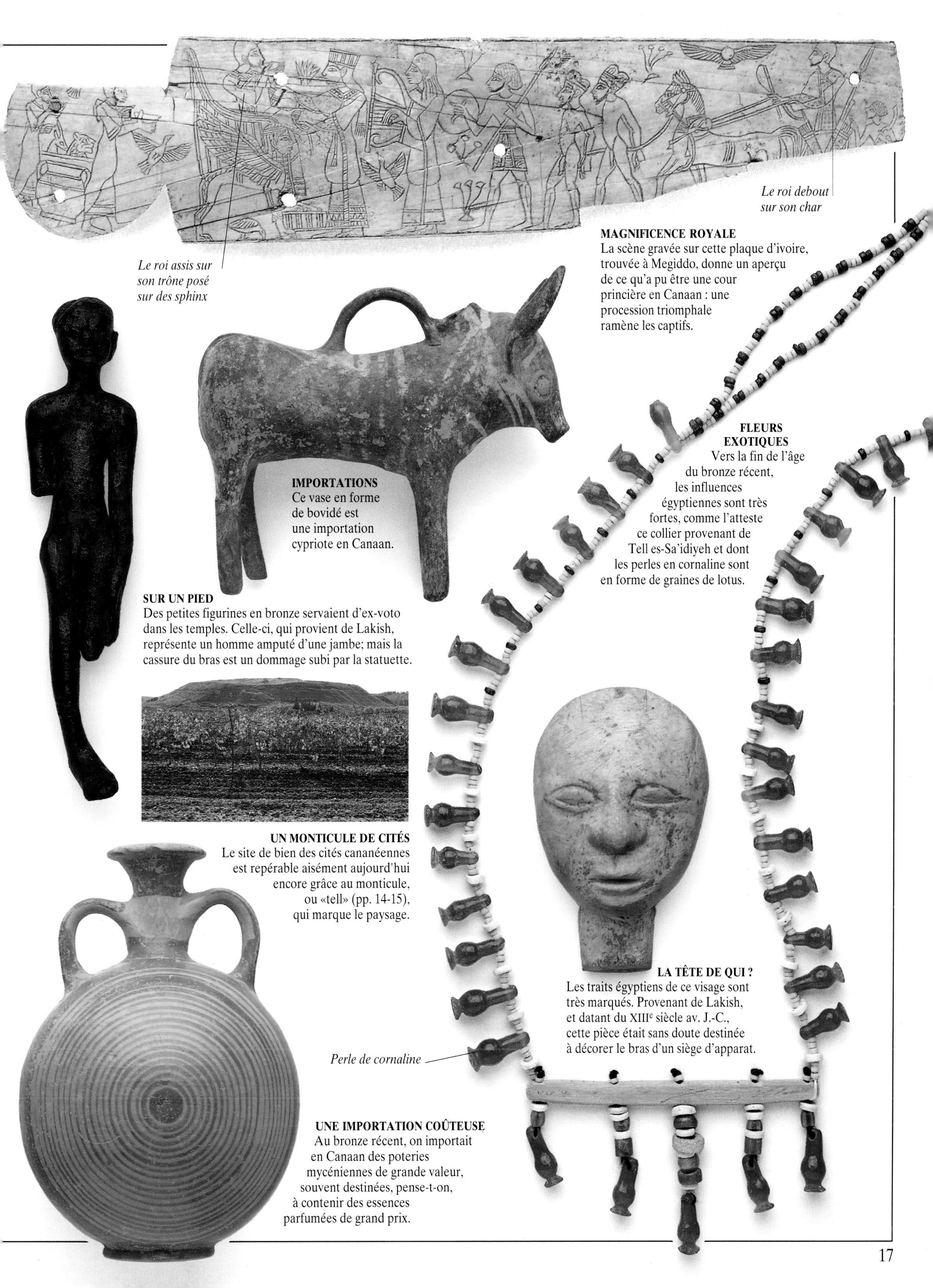

Le roi debout sur son char

Le roi assis sur son trône posé sur des sphinx

MAGNIFICENCE ROYALE
La scène gravée sur cette plaque d'ivoire, trouvée à Megiddo, donne un aperçu de ce qu'a pu être une cour princière en Canaan : une procession triomphale ramène les captifs.

IMPORTATIONS
Ce vase en forme de bovidé est une importation cypriote en Canaan.

FLEURS EXOTIQUES
Vers la fin de l'âge du bronze récent, les influences égyptiennes sont très fortes, comme l'atteste ce collier provenant de Tell es-Sa'idiyeh et dont les perles en cornaline sont en forme de graines de lotus.

SUR UN PIED
Des petites figurines en bronze servaient d'ex-voto dans les temples. Celle-ci, qui provient de Lakish, représente un homme amputé d'une jambe; mais la cassure du bras est un dommage subi par la statuette.

UN MONTICULE DE CITÉS
Le site de bien des cités cananéennes est repérable aisément aujourd'hui encore grâce au monticule, ou «tell» (pp. 14-15), qui marque le paysage.

LA TÊTE DE QUI ?
Les traits égyptiens de ce visage sont très marqués. Provenant de Lakish, et datant du XIIIe siècle av. J.-C., cette pièce était sans doute destinée à décorer le bras d'un siège d'apparat.

Perle de cornaline

UNE IMPORTATION COÛTEUSE
Au bronze récent, on importait en Canaan des poteries mycéniennes de grande valeur, souvent destinées, pense-t-on, à contenir des essences parfumées de grand prix.

MORT, SÉPULTURE ET AU-DELÀ

Les anciens ont toujours traité leurs morts avec un soin extrême. En Terre sainte, les tombeaux sont souvent très élaborés, parfois creusés profondément dans le roc. La pratique courante est l'ensevelissement plutôt que la crémation. Dès les tout premiers temps, la croyance en une autre vie se manifeste qui est attestée, avant même les textes religieux de la période historique, par la disposition des tombes elles-mêmes. Dès l'origine, on accompagne le corps de présents funéraires, bijoux, poteries, outils et armes nécessaires dans l'au-delà; on y joignait aussi de quoi boire et manger. Les fouilles effectuées dans ces tombes fournissent une mine de renseignements sur les gens eux-mêmes, leurs croyances, leurs objets familiers et préférés, leurs caractéristiques physiques et même les maladies dont ils souffraient. Les objets qui illustrent cette double page proviennent de la tombe d'une enfant à Tell es-Sa'idiyeh en Jordanie, la Çartân de la Bible.

UNE ÉPINGLE
Trouvée près de l'épaule gauche du corps, cette fibule a dû servir à fermer le linceul dans lequel l'enfant fut ensevelie.

UN BRACELET BRILLANT
La fillette portait au poignet gauche un bracelet de perles en cornaline et en argent.

Anneau d'argent porté à la main gauche

PORTE-BONHEUR ?
Cet anneau simplement taillé dans la stéatite était posé sur la poitrine de l'enfant : sans doute l'avait-elle porté attaché au cou par un lacet.

UNE À LA FOIS
On portait souvent une seule boucle d'oreille, comme celle-ci qui est en argent; trouvée sous le crâne, elle avait dû être fixée à l'oreille gauche.

DE DÉLICATES CISELURES
Durant tout l'âge du fer des anneaux en bronze sont portés en bijoux. Délicatement gravés aux extrémités, ceux-ci ornaient les chevilles.

SUR LA TÊTE
Cette agrafe originale se trouvait au sommet du crâne : peut-être a-t-elle servi à attacher une aigrette à un bonnet.

TELS QUELS
Cette photographie montre les anneaux entourant les chevilles dans la position où on les a trouvés.

UNE PARURE DE CHOIX
La fillette ensevelie dans cette tombe appartenait à une famille fortunée. Dans ce collier alternent perles d'argent et de cornaline autour de trois pièces en agate. Les perles d'argent sont finement travaillées.

POUR LE PLAISIR
Il n'est pas courant de trouver dans les tombes des fuseaux de bronze finement ouvrés comme celui-ci. Peut-être constituait-il pour la fillette un de ses passe-temps favoris.

UN BIBERON?
Ce vase zoomorphe (l'animal représenté pourrait être un veau) est la pièce la plus émouvante que l'on ait trouvée dans la tombe. Avec sa passoire sur le dos et son museau perforé, c'était peut-être un biberon. En tout cas, c'est un objet qui avait dû être souvent manipulé : il portait des traces de ces manipulations, un peu comme un ours en peluche auquel il manquerait une oreille.

DE SIMPLES COQUILLAGES
La fillette portait au poignet droit un bracelet fait de minuscules coquillages.

LA SÉPULTURE D'UNE ENFANT

L'enfant, une fillette de sept ans, était ensevelie dans une simple fosse. Dans le sol, des traces de matière blanchâtre indiquent que le corps était enveloppé dans un linceul de toile. Sur cette photographie prise à la fin des fouilles, on voit encore de nombreux présents à la place qu'ils occupaient primitivement.

LA MARQUE DE SON RANG
Sur ce sceau sont gravés un taureau et un symbole ailé, représentant le soleil. La présence d'un sceau est encore un signe du rang élevé de la famille de l'enfant.

NAISSANCE D'UNE NATION

Ornement en ivoire destiné à du mobilier, provenant de Samarie

Vers 1150 av. J.-C., les Égyptiens se retirèrent de Canaan. Ils laissaient un vide qu'allaient combler les Philistins et les Israélites. Ces deux peuples vécurent côte à côte pendant près d'un siècle, les Philistins dans la plaine côtière, les Israélites dans le haut pays. Mais au XIe siècle av. J.-C., les Philistins voulurent étendre leur territoire. Menacés, les Israélites s'unirent pour former une seule nation, sous la conduite d'abord de Saül, puis de David. Vers 1000 av. J.-C., David s'empara de Jérusalem et fut proclamé roi. Il finit par triompher des Philistins, agrandissant ainsi le territoire d'Israël. Le royaume continua de prospérer sous son fils Salomon, qui développa les relations commerciales et fit bâtir le grandiose Temple de Jérusalem. Après la mort de Salomon en 928, les tensions entre le Nord et le Sud atteignirent leur paroxysme, le Nord refusant de reconnaître pour roi le fils de Salomon, Roboam. Le royaume se divisa : au sud, la capitale du royaume de Juda fut Jérusalem ; au nord, celle du royaume d'Israël fut, après un temps, Samarie.

PAS DE FUMÉE SANS FEU
Cette gravure du XIXe siècle évoque la destruction du Temple par les Babyloniens en 587 av. J.-C.

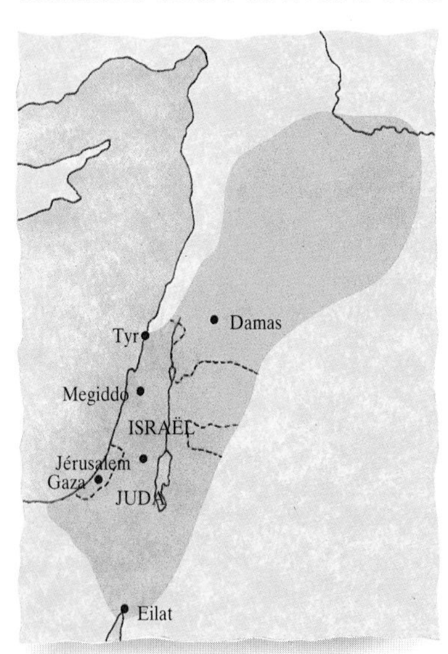

LES DEUX ROYAUMES
La carte montre l'étendue du royaume de David, qui fut scindé en deux : celui d'Israël au nord, celui de Juda au sud.

LA PREMIERE MENTION D'ISRAEL
Cette stèle du pharaon Mérneptah (1235-1224 av. J.-C.) raconte une expédition en Canaan contre Gézer, Ascalon et Israël. C'est la première fois qu'Israël est mentionné en tant qu'entité politique. Il s'agit ici des communautés agricoles de la montagne judéenne.

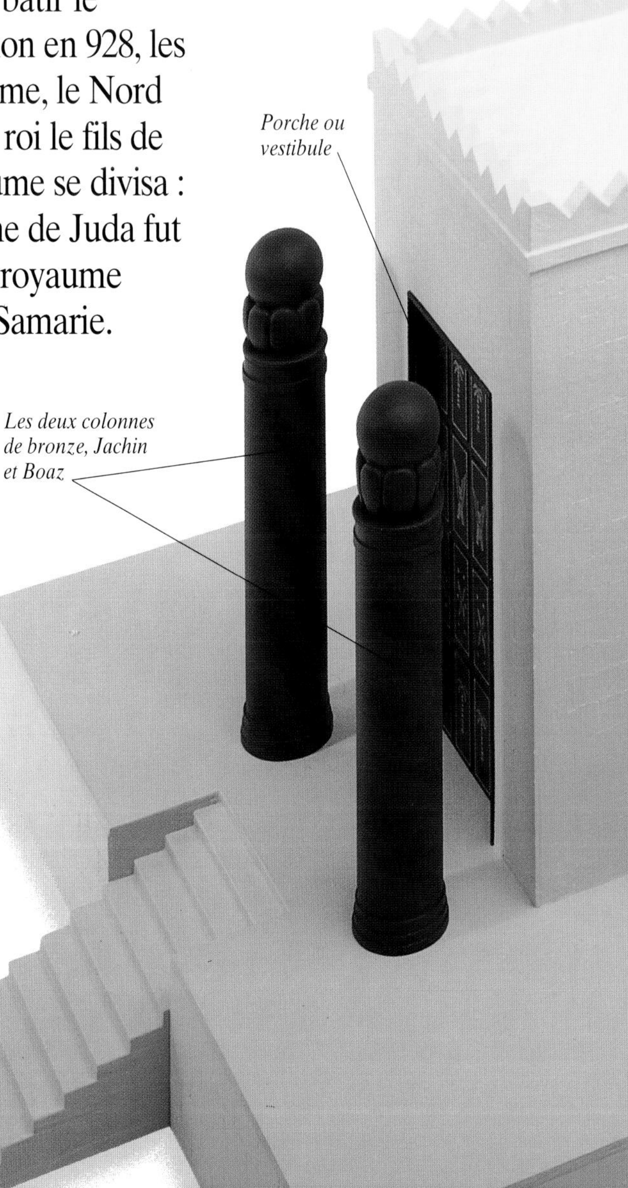

ART PHÉNICIEN
Probablement un ornement de mobilier, ce fragment en ivoire du palais d'Achab, à Samarie, représente l'arrière-train d'un lion. Les relations étaient étroites entre Israël et la Phénicie et on faisait souvent appel à des artisans et des artistes phéniciens.

LE TEMPLE DE SALOMON

L'enrichissement dû au commerce et une bonne administration permirent à Salomon de réaliser de grands projets de construction. Le plus imposant fut le Temple de Jérusalem. Il n'est resté aucune trace de l'édifice, mais la Bible en donne des descriptions détaillées. Grâce à ce témoignage des textes et aux apports des fouilles archéologiques menées sur d'autres sites, plusieurs reconstitutions ont pu en être proposées. En voici une.

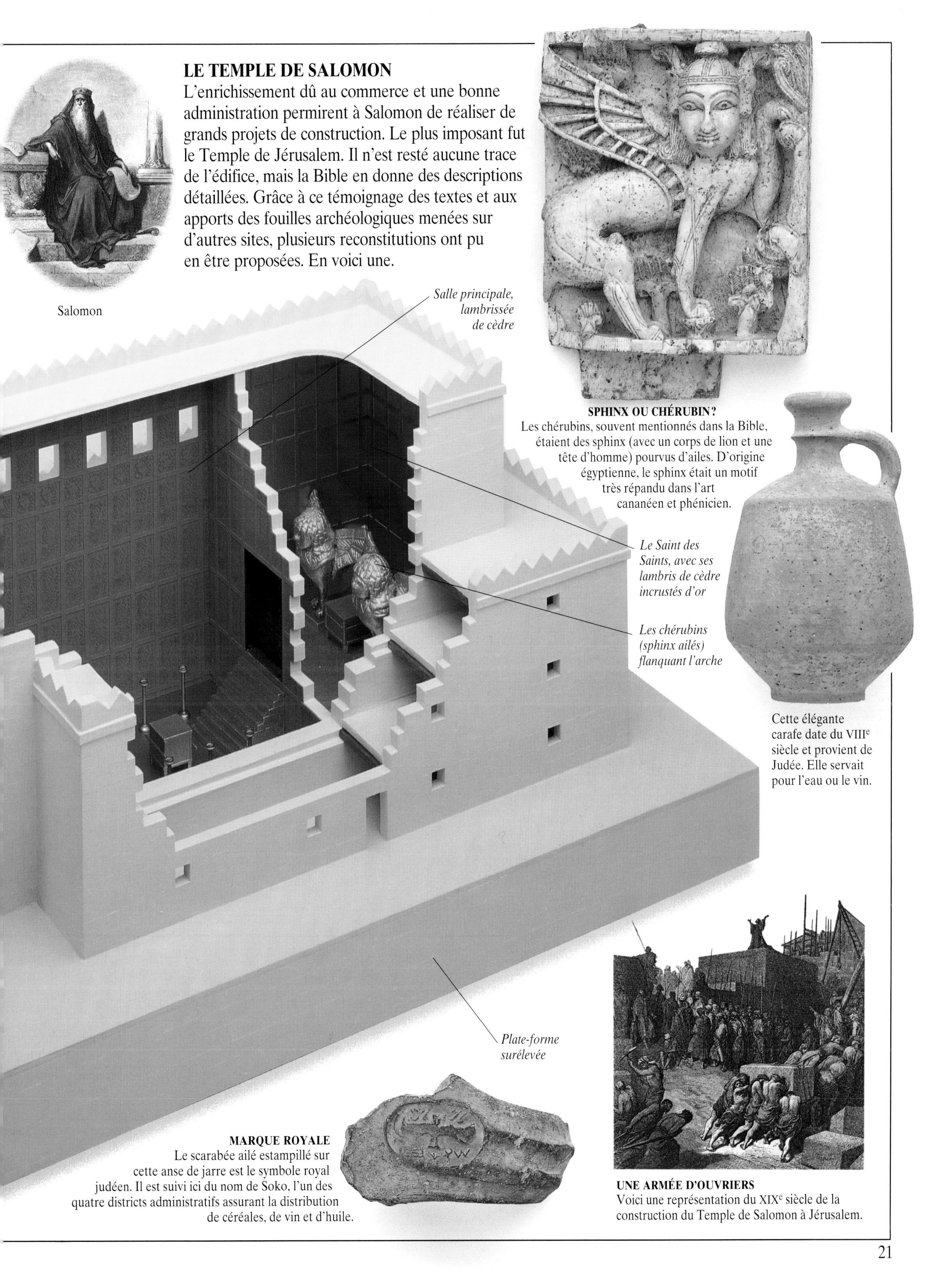

Salomon

Salle principale, lambrissée de cèdre

Le Saint des Saints, avec ses lambris de cèdre incrustés d'or

Les chérubins (sphinx ailés) flanquant l'arche

Plate-forme surélevée

SPHINX OU CHÉRUBIN?
Les chérubins, souvent mentionnés dans la Bible, étaient des sphinx (avec un corps de lion et une tête d'homme) pourvus d'ailes. D'origine égyptienne, le sphinx était un motif très répandu dans l'art cananéen et phénicien.

Cette élégante carafe date du VIIIe siècle et provient de Judée. Elle servait pour l'eau ou le vin.

MARQUE ROYALE
Le scarabée ailé estampillé sur cette anse de jarre est le symbole royal judéen. Il est suivi ici du nom de Soko, l'un des quatre districts administratifs assurant la distribution de céréales, de vin et d'huile.

UNE ARMÉE D'OUVRIERS
Voici une représentation du XIXe siècle de la construction du Temple de Salomon à Jérusalem.

LES PHÉNICIENS : DE GRANDS NAVIGATEURS

L'inscription en écriture phénicienne indique le nom du propriétaire de ce sceau : Tamak-el, fils de Milkam.

Au second millénaire, les Israélites occupaient la Palestine, à l'exception de la bande côtière méridionale que détenaient les Philistins. Au nord, la Syrie septentrionale et centrale appartenait pour l'essentiel aux puissants royaumes araméens, et ce qui restait du territoire cananéen, au nord-ouest, devint la Phénicie. Ce nom vient d'un mot grec qui signifie « pourpre », matière colorante qui avait fait la réputation des Phéniciens (p. 41). Les terres arables étant insuffisantes pour assurer la subsistance de tous, ceux-ci se tournèrent vers la mer et devinrent alors de grands navigateurs. En dehors du commerce, ils excellaient aussi dans l'artisanat et leurs produits étaient recherchés dans tout le Moyen-Orient. On dit que Salomon fit appel à des artisans phéniciens pour bâtir le Temple de Jérusalem.

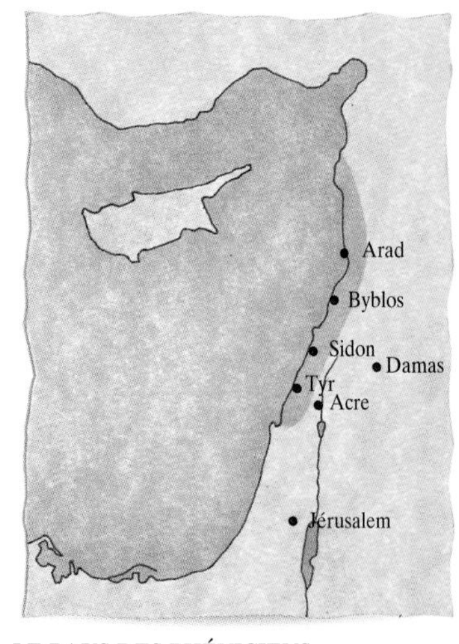

LE PAYS DES PHÉNICIENS
Les principales villes de Phénicie étaient Arad, Byblos, Sidon et Tyr, sur la côte de ce qui est aujourd'hui le Liban.

BEAUTÉ DU SUD
Cette cruche, peinte avec élégance, contenait sans doute de l'huile aromatisée. Ce type était très répandu dans toute la Méditerranée.

INFLUENCES MÊLÉES
Grands voyageurs, les Phéniciens ont mêlé dans leur art les styles les plus divers. Sur cette coupe de bronze, les sphinx égyptiens se combinent avec les motifs géométriques de la Syrie du Nord. Mais la facture est dans l'ensemble caractéristique de l'Egée.

DEUX FOIS PLUS RAPIDE
Ce modèle réduit de navire phénicien est une birème : deux rangs de rameurs de chaque côté permettaient de doubler la vitesse et la maniabilité.

DES COMPTOIRS AUX COLONIES
Connus pour avoir été de grands navigateurs, les Phéniciens ont établi des comptoirs dans toute la Méditerranée. La plus célèbre de leurs colonies fut Carthage, fondée en 814 par Tyr sur la côte de la Tunisie actuelle.

UNE BEAUTÉ FRAGILE
L'industrie du verre tenait une place importante en Phénicie. On faisait une pâte en mêlant de la soude à du sable finement pilé auxquels on ajoutait divers pigments. Porté à très haute température, ce mélange donnait un verre coloré.

PRÉCIEUX BUTIN
Cet ivoire finement ciselé, au style d'influence égyptienne, était un ornement de mobilier. Trouvé à Nimrud, capitale de l'Assyrie, c'était sans doute un tribut (p. 48) ou un butin apporté là au retour d'une expédition.

MODELAGE
Du temps des Phéniciens, on ne connaissait pas encore la technique du verre soufflé. Les vases de ce type étaient moulés. On enrobait de pâte un noyau d'argile qu'il fallait enlever après la fusion du verre.

PORTS D'ATTACHE
Les Phéniciens ont entrepris d'immenses travaux pour transformer leurs havres naturels en grands ports, bien adaptés au trafic maritime international dont leur prospérité dépendait. Ici une vue moderne de Byblos, un de leurs plus grands ports.

A, B, C, D...
C'est probablement en Canaan, à l'âge du bronze moyen, qu'on eut l'idée de substituer une écriture alphabétique aux idéogrammes. Les Phéniciens ont perfectionné ce système : sur cette flèche sont inscrites quelques lettres de leur alphabet de 22 signes qui est à la base des alphabets grec et latin.

DIEUX ET DÉESSES À TOUT FAIRE

Avant que ne s'impose l'idée israélite du « dieu unique », la religion pratiquée en Terre sainte est caractérisée par la diversité des dieux et des déesses. On voit en eux des puissances régissant tous les domaines de la vie : la guerre, les saisons, la fertilité, les récoltes… Ce que nous en savons provient pour l'essentiel d'un lot important de tablettes d'argile, datant de l'âge du bronze récent et découvertes sur le site de Ras Shamra en Syrie. On y parle du dieu suprême, El, « le père des hommes », dont les cieux forment le domaine, et d'Ashéra, son épouse, qui règne sur les mers. Leurs enfants constituent un ensemble de soixante-dix autres divinités, au nombre desquelles figurent Baal, dieu de l'orage et de la guerre, et Astarté, déesse de l'amour et de la fertilité.

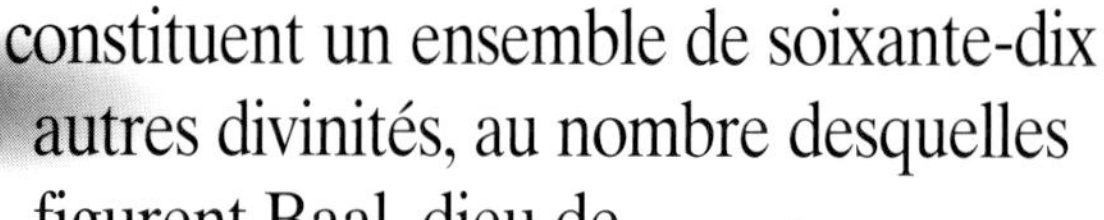

PREMIÈRES DIVINITÉS?
Les statues provenant de 'Ain Ghazal (p. 9) avaient sans doute un rôle cultuel. Mais on ignore si elles étaient censées représenter des dieux ou leurs adorateurs.

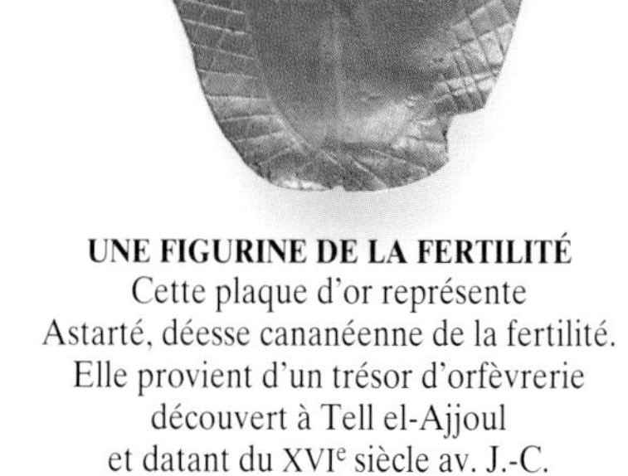

UNE FIGURINE DE LA FERTILITÉ
Cette plaque d'or représente Astarté, déesse cananéenne de la fertilité. Elle provient d'un trésor d'orfèvrerie découvert à Tell el-Ajjoul et datant du XVIe siècle av. J.-C.

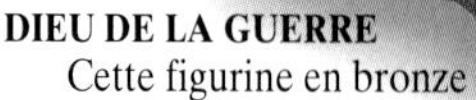

DIEU DE LA GUERRE
Cette figurine en bronze plaqué d'argent date de l'âge du bronze récent. Elle représente un guerrier brandissant une arme et qui pourrait être le dieu Baal.

UNE DÉESSE POPULAIRE
Astarté est sans doute la plus populaire, la plus puissante des déesses de Canaan. On la représente habituellement nue, les mains sous les seins. Cette plaquette en terre cuite provient d'Alalakh.

PROPHÈTES DE BAAL
Le roi Achab avait épousé une princesse phénicienne, Jézabel. Celle-ci restaura en Israël le culte du dieu Baal. En présence des prophètes de Baal, le prophète du Dieu d'Israël, Elie, mit tous les dieux en demeure d'allumer le feu du sacrifice, pour montrer ainsi la supériorité de son Dieu.

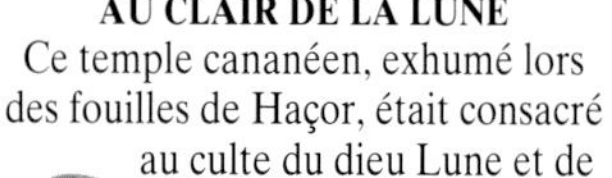

AU CLAIR DE LA LUNE
Ce temple cananéen, exhumé lors des fouilles de Haçor, était consacré au culte du dieu Lune et de son épouse.

L'ŒIL DE L'ÉGYPTE
C'est l'une des amulettes les plus répandues en Egypte. Elle représente le dieu Horus avec un œil d'homme mais le plumage d'un faucon.

À QUI LA MAIN ?
Beaucoup de temples et de sanctuaires cananéens ont été exhumés dans toute la Palestine, mais on ignore généralement à quelles divinités ils étaient consacrés. Cette main finement sculptée dans l'ivoire est tout ce qui reste de la statue vénérée dans le «temple du fossé», à Lakish.

UN DIEU DU VIN
Ce buste de Douchara, dieu nabatéen (arabe) de la vigne, provient de son temple à Sia dans le Haurân, en Syrie du Sud. Il est sculpté dans le basalte, pierre locale très dure.

Façade du temple de Jérusalem représentée sur une pièce de monnaie de Simon Bar Kochba, «prince d'Israël», chef de la seconde révolte juive contre les Romains (132-135 après J.-C., sous l'empereur Hadrien).

Astarté, déesse cananéenne de l'amour et de la fertilité

Aphrodite déesse grecque de l'amour et de la beauté

LONGUE VIE, ASTARTÉ !
En dépit de lois prohibant le culte d'autres divinités, on a continué pendant tout l'âge du fer à représenter les déesses cananéennes de la fertilité, comme Astarté.

DIEUX ÉGYPTIENS
Souvent, le culte des divinités introduites par les conquérants coexistait avec celui de leurs équivalents cananéens. A partir de l'âge du bronze récent, alors que l'Egypte règne sur Canaan, commencent à apparaître les amulettes égyptiennes. Celles-ci proviennent de Lakish et datent du IXe siècle av. J.-C. Elles représentent le Sphinx, tête de femme et corps de chat, et Sekhmet, déesse de l'ardeur brûlante du soleil.

Sekhmet — Sekhmet — Sphinx — Sekhmet

DIEUX DE LA GRÈCE
La religion grecque, avec son cortège de dieux et de déesses, est introduite en Syrie et en Palestine après la domination grecque en 332 av. J.-C. Ils sont souvent assimilés aux divinités traditionnelles : c'est ainsi, par exemple, qu'Aphrodite reprit le rôle d'Astarté.

LE LAIT ET LE MIEL
Le Canaan de Moïse était bien «un pays où coulent le lait et le miel», une terre fertile où l'agriculture et l'horticulture avaient déjà une longue histoire.

FRUITS DE LA TERRE...
... ET DU TRAVAIL DES HOMMES

La pratique de l'agriculture constitue peut-être le plus grand pas en avant que l'homme ait accompli dans l'Antiquité. Elle lui a permis de se sédentariser et de produire un excédent de récoltes, ce qui devait stimuler les échanges et permettre l'accroissement de la population. En Terre sainte, le processus s'étend de 9000 à 6000 av. J.-C. La première étape en est la sélection de plantes et d'animaux propres à la culture et à l'élevage. Des siècles de reproduction sélective en feront peu à peu des produits adaptés aux besoins de l'homme. Les premiers fermiers cultivaient deux espèces de blé, le froment et l'épeautre, ainsi que de l'orge, toutes céréales originaires du Levant, et, en outre, des légumes et des fruits variés.

Mortier et pilon, âge du fer

PHARMACOPÉE
Des plantes comme le cumin étaient cultivées comme épices mais aussi pour leurs vertus médicinales. On utilisait le cumin contre les convulsions et son huile servait en parfumerie.

LES SAVEURS ONT LA FAVEUR
Le livre des Nombres rapporte comment, après l'Exode, les Israélites évoquaient avec nostalgie les fruits et les légumes laissés derrière eux en Egypte. Il s'agissait notamment du poireau, de l'oignon et de l'ail. Il y a toute raison de penser qu'ils ont dû les retrouver en abondance en Canaan. Aujourd'hui encore ils sont partie intégrante de la cuisine arabe et on y apprécie leurs saveurs.

Oignons verts

Poireaux

PLATS DE LENTILLES
Cultivées au moins depuis le VIIe millénaire av. J.-C., on en faisait de la soupe, des pâtes, des purées. Mélangées à des céréales, les lentilles donnaient une farine à gâteau.

EN PLEIN VENT
Après la récolte venait le battage des céréales : on les jetait en l'air, le vent emportant la paille légère, tandis que le grain plus lourd retombait au sol. C'est ce que l'on appelle «vanner».

EN TERRASSES
Courante aujourd'hui en Terre sainte, l'agriculture en terrasses y est une pratique relativement récente.

À BOIRE ET À MANGER
L'orge est l'une des plus anciennes céréales cultivées. On en faisait du pain et de la bière.

CÉRÉALE DE JADIS
Largement cultivé en Mésopotamie depuis au moins 3000 av. J.-C., le millet ne semble guère trouver place en Terre sainte avant la fin de l'époque romaine.

TRAVAIL SUR LE BLÉ
Le grain des variétés de blé les plus anciennement cultivées, froment et épeautre, a une enveloppe dure, résistant au battage. Aux époques bibliques, ces céréales font place au blé dur, dont le grain nu est riche en gluten. Facile à battre, il donne une excellente farine à pain.

Bord concave coupant

POUR FAUCHER
Au cours du Ier millénaire av. J.-C., les faucilles en fer sont d'un usage courant.

POUR LA MOISSON
On insérait des lames de silex, souvent à bords dentés, dans des manches de bois ou d'os. Datant de l'âge de la pierre, ces faucilles sont encore largement utilisées à l'âge du bronze.

SOUS LES PALMIERS
Sur ce relief du palais du roi d'Assyrie, Sennachérib, à Ninive, un groupe de prisonniers chaldéens traverse des palmeraies du sud de l'Irak.

LE JARDIN D'ÉDEN
Cette peinture du flamand Roelandt Jacobsz Savery (1576-1639) illustre le récit biblique du jardin d'Eden. La nature y apparaît dans toute sa richesse et sa diversité. L'importance des relations entre l'humanité, les animaux et la végétation ressort aussi de ce récit.

FRUITS D'AILLEURS
Aux premiers temps de l'agriculture, les arbres fruitiers étaient souvent importés des contrées voisines. La pomme est probablement arrivée en Terre sainte vers 4000 av. J.-C., de Syrie ou de Turquie.

Cannelle

Pommes

LES ÉPICES, PIMENT DE LA VIE
L'Ancien Testament fait souvent allusion aux épices. On dit que Joseph fut vendu par ses frères à des marchands d'épices ismaélites en route pour l'Egypte. Utilisée en cuisine et pour aromatiser le vin, la cannelle était importée des Indes.

PRODUIT D'EXPORTATION
Originaire de Syrie-Palestine, l'olivier en devint l'une des principales ressources naturelles. L'huile d'olive servait en cuisine et en médecine; elle entrait aussi dans la composition des parfums, et on la faisait brûler dans des lampes pour s'éclairer. Dès l'âge du bronze on la produit pour l'exportation.

Figues fraîches

PARMI LES PREMIERS
Le figuier est solidement implanté en Terre sainte vers 5000 av. J.-C., mais on ignore où sa culture a pris naissance.

Figues sèches

Gâteau de figues sèches

UN EN-CAS
On consommait les figues fraîches, mais on les faisait aussi sécher pour les conserver et constituer ainsi de précieuses réserves quand d'autres produits se faisaient rares.

PROVISIONS DE ROUTE
Les figues, pressées en forme de gâteaux, constituaient un aliment très nutritif et commode pour les longs voyages. Abraham en avait-il avec lui quand il se rendit d'Ur en Canaan (p. 10)?

À TABLE
L'huile d'olive était conservée dans de grosses jarres, mais, pour la table, on la versait dans des cruchettes. Celle-ci provient de Tell es-Sa'idiyeh et date du XIIe siècle av. J.-C.

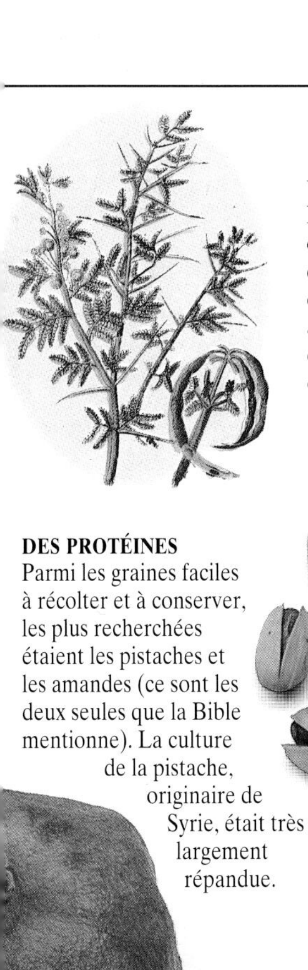

UNE ESPÈCE PRÉCIEUSE
L'acacia, ou arbre de shittim, est l'une des rares espèces qui poussent dans le désert du Sinaï. Son bois a servi à la fabrication de l'Arche d'Alliance décrite au livre de l'Exode.

RÉCOLTE DES DATTES
Ce relief de Tell Halaf en Syrie (l'antique Gozân) date du IXe siècle av. J.-C. On y voit un homme monté sur une échelle pour cueillir des dattes.

DES PROTÉINES
Parmi les graines faciles à récolter et à conserver, les plus recherchées étaient les pistaches et les amandes (ce sont les deux seules que la Bible mentionne). La culture de la pistache, originaire de Syrie, était très largement répandue.

Pistaches

Amandes

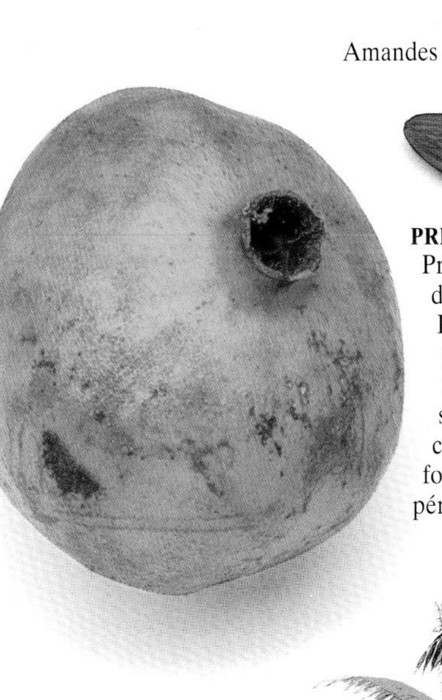

Grenades

PRÉCIEUSE GRENADE
Provenant d'Asie mineure, du Caucase, d'Arménie et de Perse, elle était très appréciée pour son jus aigre-doux. Ce fruit fut certainement implanté en Terre sainte à l'âge du bronze moyen, car on en a trouvé des spécimens fossilisés dans une tombe de cette période à Jéricho.

Olives

L'olivier était cultivé, semble-t-il, depuis 4000 av. J.-C. au moins, tant pour la consommation de son fruit que pour la production d'huile.

LE FRUIT DE JÉRICHO
Le palmier dattier poussait en abondance dans tout le Croissant fertile et fournissait aux premiers habitants de la région un élément important de leur alimentation. Dans l'Ancien Testament, on parle de Jéricho comme de «la ville des palmiers» dont les dattes étaient appréciées pour leur saveur.

LA PÊCHE

L'homme s'est nourri de poisson dès les temps les plus anciens. Même avec les progrès de l'agriculture, il continua à pêcher pour compléter son alimentation. Les Assyriens entretenaient des réserves de poissons dans des viviers.

LA PÊCHE MIRACULEUSE
L'importance du poisson dans la vie des populations riveraines du lac de Galilée à l'époque romaine ressort de plusieurs récits bibliques. C'est l'épisode de la pêche miraculeuse qui est illustré ici.

UNE PRISE
Cet hameçon en bronze a pu servir à pêcher dans les eaux du Jourdain, tout proche du site de Tell es-Sa'idiyeh où il a été trouvé.

À CONSOMMER FRAIS OU SEC
Aujourd'hui comme hier, on faisait sécher le raisin pour le conserver et pouvoir le manger hors saison. C'est une pratique qui remonte au moins à l'âge du bronze ancien.

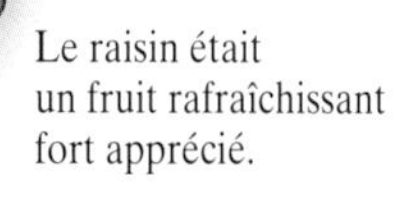

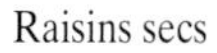

Le raisin était un fruit rafraîchissant fort apprécié.

Raisins secs

À DÉGUSTER
A l'âge du bronze récent, les Cananéens aisés disposaient de services à vin comprenant un cruchon pour puiser dans les jarres, une petite passoire pour filtrer les impuretés, et une coupe pour boire.

Coupe

Passoire

Cruchon

LA VITICULTURE

Au cours du IIIe millénaire av. J.-C., les villes se développèrent dans le bassin oriental de la Méditerranée et les communautés purent se livrer à des cultures nouvelles. L'une des plus importantes a été celle de la vigne. Sans doute importée d'Anatolie dans le courant du précédent millénaire, elle s'est partout répandue. On en prisait le fruit savoureux mais aussi les vins que l'on en tirait, en particulier les crus de Palestine.

LE SOUPER D'EMMAÜS
Ce tableau du peintre italien le Caravage (1573-1610) nous rappelle l'importance sociale des repas dans la civilisation antique.

LE POULET FAIT SON ENTRÉE
Domestiqué en Inde du Nord plus de 2 000 ans av. J.-C., le poulet est introduit en Egypte 600 ans plus tard, mais on ignore quand il fit son apparition en Palestine. Les Israélites ont-ils goûté au poulet rôti? C'est en tout cas, à l'époque romaine, un plat des plus appréciés.

POUR ÉTANCHER LA SOIF
La pastèque était largement cultivée dans l'ancienne Egypte et on la consommait sans doute en Palestine dès le début de l'âge du bronze moyen (vers 2000 av. J.-C.). Elle remplaçait avantageusement l'eau en période sèche.

Les graines de pastèque sont également comestibles.

Ces fromages blancs à base de lait de vache, de chèvre ou de brebis sont consommés depuis l'âge du bronze ancien.

UN COUP DE FOUET
Cet étrange objet en bronze a été trouvé dans le «temple du fossé» à Lakish, mais il ne servait pas au culte. Si on le compare avec des ustensiles arabes modernes, on constate qu'il s'agit simplement d'un fouet pour battre la crème.

ASSIETTES À CROQUER
On fabriquait (et l'on fabrique encore aujourd'hui) ces galettes de pain sans levain en appliquant la pâte sur l'intérieur d'un four primitif appelé *tannour.* On peut aussi bien les manger que les utiliser comme assiettes.

EN SALADE
On pense que le concombre a fait son apparition en Palestine probablement au cours du IIe millénaire av. J.-C., époque à laquelle il est de consommation courante en Egypte.

Fouet en bronze

UN APPÉTIT D'OISEAU
Sans doute comptait-on moins pour se nourrir sur le gibier à plumes que sur d'autres produits de la chasse et de la pêche. Mais ces perdrix du désert proche de la mer Morte permettaient de varier les menus.

LES MEILLEURS ŒUFS
Les œufs d'oiseaux domestiques ou sauvages étaient une nourriture appréciée, surtout les œufs d'autruche, souvent représentés sur les peintures égyptiennes. Beaucoup plus petits, ces œufs de poule n'en étaient pas moins nutritifs.

Antique poterie cananéenne

LES ANIMAUX DU SIXIÈME JOUR

Riche et variée, la faune de la Terre sainte comprend encore aujourd'hui une centaine d'espèces de mammifères. Autrefois bien représentés dans cette région, et mentionnés dans la Bible, le lion, l'ours, l'autruche et le crocodile, abondamment chassés, ont tous disparu. Les travaux des spécialistes, qui analysent les ossements trouvés dans les fouilles, sont une source d'informations considérable sur l'évolution des rapports entre l'homme et l'animal. Avant les progrès de l'agriculture (pp. 26-27), la chasse procure nourriture et peaux. Avec l'apparition de l'élevage, on va s'intéresser à d'autres produits comme la laine et le laitage. À l'âge de la pierre, les premiers animaux domestiqués dans ce but sont le mouton et la chèvre, puis les porcs et les bovins à la période suivante du Chalcolithique.

Les Egyptiens donnaient souvent à leurs sceaux la forme du scarabée, animal sacré.

Jésus en «Bon Pasteur», sur une gravure du XIXe siècle

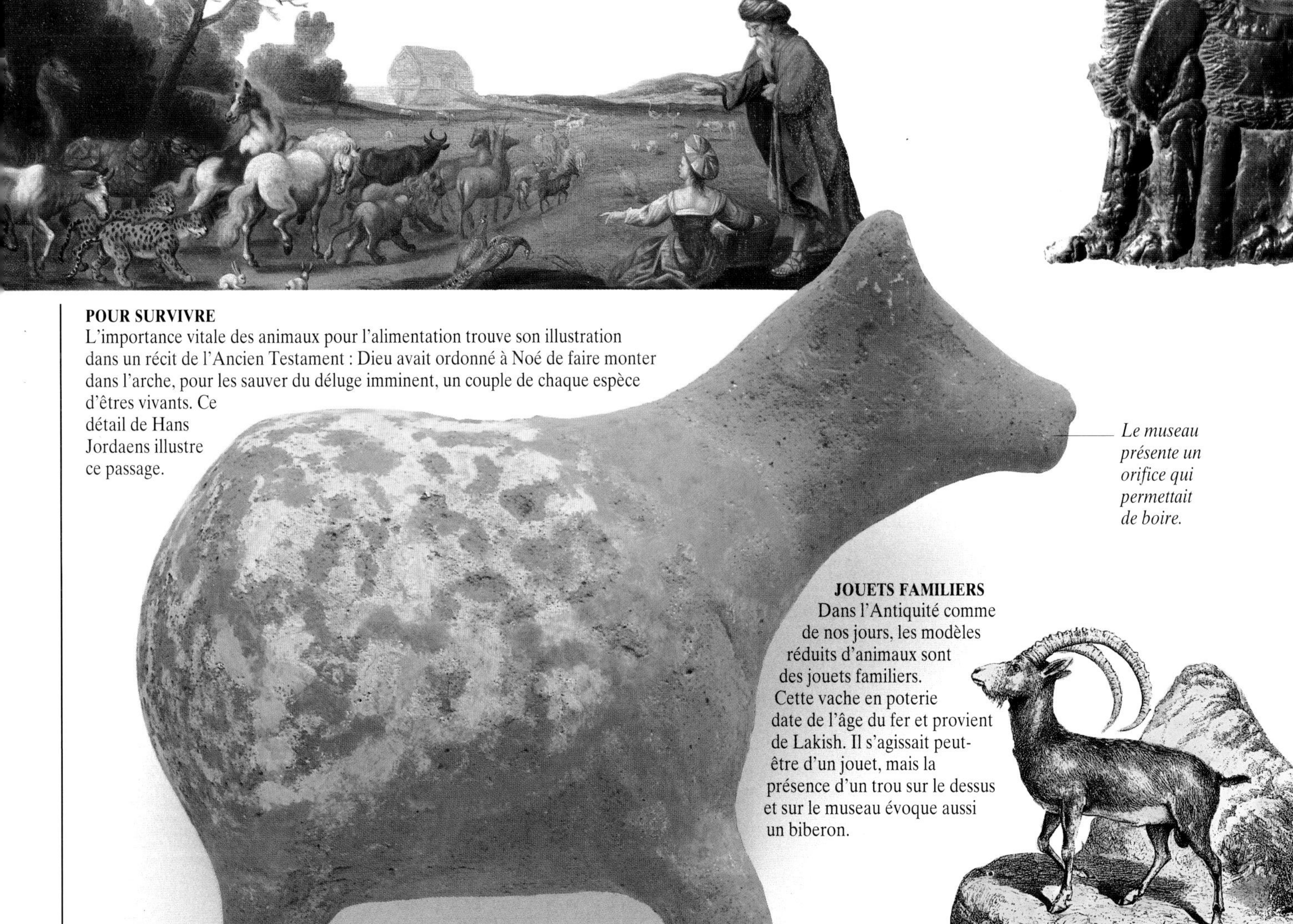

POUR SURVIVRE
L'importance vitale des animaux pour l'alimentation trouve son illustration dans un récit de l'Ancien Testament : Dieu avait ordonné à Noé de faire monter dans l'arche, pour les sauver du déluge imminent, un couple de chaque espèce d'êtres vivants. Ce détail de Hans Jordaens illustre ce passage.

Le museau présente un orifice qui permettait de boire.

JOUETS FAMILIERS
Dans l'Antiquité comme de nos jours, les modèles réduits d'animaux sont des jouets familiers. Cette vache en poterie date de l'âge du fer et provient de Lakish. Il s'agissait peut-être d'un jouet, mais la présence d'un trou sur le dessus et sur le museau évoque aussi un biberon.

Très farouche, l'ibex de Nubie, ou *beden,* est la chèvre sauvage de la Bible. On le rencontre encore aujourd'hui dans certaines régions rocheuses.

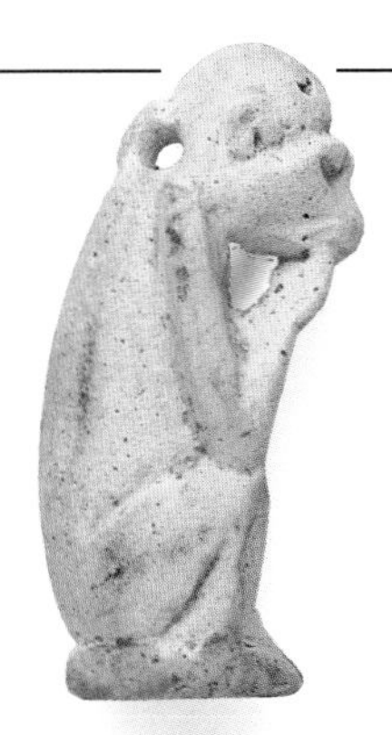

SINGERIES
Cette amulette représente un singe. Sous le règne de Salomon, on en importait d'Afrique.

UN SANGLIER INOFFENSIF
On peut encore rencontrer des sangliers dans les fourrés de la vallée du Jourdain. Cette amulette provient de Lakish.

SAMSON ET LE LION
Très courant en Palestine à l'époque de l'Ancien Testament, le lion représentait un danger pour l'homme et pour le bétail.

TRIBUT PAYÉ AU ROI
Un obélisque noir érigé à Nimrud commémorait les 31 campagnes militaires de Salmanasar III, roi d'Assyrie. Sur ce détail représentant une partie du tribut payé par le prince syrien de Sukha, on voit deux lions et un cerf, animaux originaires du moyen Euphrate. Le sculpteur n'avait sans doute pas vu souvent de lions, car il leur a donné une queue de chacal!

L'OURS AU BOIS
De petite taille et le pelage clair, l'ours de Syrie vivait encore en Palestine il y a peu. Aux époques bibliques, il hantait les régions montueuses et boisées.

REPÉRÉE À SES TACHES
La panthère a survécu en Palestine longtemps après les temps bibliques : on en a encore repéré une sur les falaises d'En-gaddi en 1974.

TOUT POUR LE CANARD
Nourriture fort appréciée, le canard était aussi un thème fréquent chez les artistes. Cette tête en ivoire provient de Lakish et a pu décorer le manche d'une cuiller à fards.

DANS L'ÉTABLE
Sur cette gravure de Gustave Doré (1832-1883), la présence des brebis et du bœuf dans la crèche de la Nativité témoigne de l'importance des bêtes qui fournissaient la viande et le lait.

SAGES ET MAGES
Leur monture est le dromadaire d'Arabie. Domestiqué en Egypte dès avant 3000 av. J.-C., il est commun en Palestine 1 500 ans plus tard. Le chameau de Bactriane, à deux bosses, apparaîtra à l'âge du fer.

« VÊTIR CEUX QUI SONT NUS »

Très rares sont les textiles qui nous sont parvenus de l'Antiquité. Ce sont les peintures, sculptures et figurines qui nous permettent de savoir comment on s'habillait. Au tout début, on s'est vêtu probablement de peaux de bêtes. Mais on a su filer et tisser au moins dès le VIIe millénaire av. J.-C, comme l'a montré une remarquable trouvaille de matériaux organiques, au Nahal Hamar, dans le désert de Judée. Des accessoires utilisés pour fabriquer l'étoffe peuvent enrichir aussi nos connaissances. Peu à peu, on a employé les matériaux les plus variés que l'on teignait souvent en couleurs vives, à l'aide de produits naturels. Le cuir et le feutre servaient aussi à confectionner vêtements, chaussures et coiffures.

COIFFURE RÉVÉLATRICE
La coiffure fort apprêtée de cette riche femme du Xe siècle av. J.-C. révèle son rang social élevé.

INFLUENCE ÉGYPTIENNE
Grands voyageurs, les Phéniciens avaient une parfaite connaissance de ce qui se portait à l'étranger. C'est l'un d'eux qui a sculpté ce panneau d'ivoire représentant un personnage en habits royaux à l'égyptienne.

LES OUTILS DU MÉTIER
L'utilisation de ces outils de tisserand en os n'est pas toujours évidente. On devait faire glisser la *spatula* entre les fils verticaux de la chaîne et la pousser avec force vers le haut, afin de serrer les fils horizontaux de la trame, fonction attribuée de nos jours au peigne.

SUR L'ÉPAULE
Ces Israélites portent une calotte, une longue tunique et un manteau drapé sur une épaule et laissant l'autre découverte. Tuniques et manteaux sont à franges. Sans doute les motifs du tissu étaient-ils teints de couleurs vives.

POIDS DE TISSERAND
En argile simplement séchée au soleil, ils permettaient de maintenir tendus les fils de chaîne verticaux sur le métier.

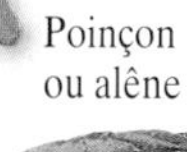

Poinçon ou alêne

Spatula

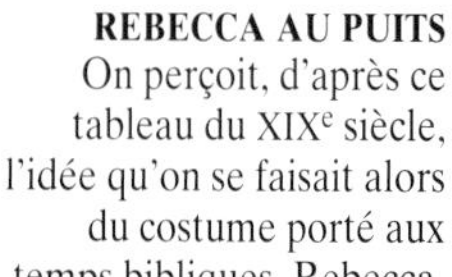

EN FILANT
Filer, c'est assembler des fibres en les tordant pour obtenir un fil continu. Pour ce faire on se servait d'un bâton, le fuseau, lesté d'une sorte de volant d'inertie destiné à donner de la vitesse. Cette dernière pièce, le « peson », ou fusaïole, se retrouve en quantité sur les sites en Terre sainte.

REBECCA AU PUITS
On perçoit, d'après ce tableau du XIXe siècle, l'idée qu'on se faisait alors du costume porté aux temps bibliques. Rebecca, rencontrée ici au puits par l'envoyé d'Abraham, deviendra la femme d'Isaac (livre de la Genèse).

ÉPINGLE DE SÛRETÉ
Aux alentours de 1000 av. J.-C., ces sortes d'épingles de sûreté que sont les «fibules» commencent à remplacer les épingles d'agrafage. Celle-ci date de l'époque perse.

Chas de l'épingle

SE BOUTONNER
L'épingle était cousue par son chas à un pan du vêtement, un cordon étant fixé sur l'autre pan : pour fermer le vêtement on enroulait le cordon autour de l'épingle, un peu à la manière d'un duffle-coat.

Epingles de l'âge du bronze moyen

Empreinte du textile sur le métal

PARURES
Les Cananéens aimaient à orner leurs cheveux de parures comme ce bandeau en or qui provient de Tell el-Ajjoul et date du XVIe siècle av. J.-C.

SOUS LE VOILE
Ces femmes et ces enfants sont emmenés en captivité après la prise de Lakish. Le costume des femmes est typiquement judéen : une longue tunique flottante et, sur les cheveux, un long voile qui tombe jusqu'aux pieds.

TRACES DE TEXTILE
Beaucoup de tombes du XIIe siècle av. J.-C., à Tell es-Sa'idiyeh en Jordanie, renfermaient des objets en bronze enveloppés dans des étoffes. La corrosion du métal a contribué à la préservation du textile. Cette javeline était enveloppée dans du lin fin d'Egypte.

SANDALES
Ce type de sandales, faites d'un morceau de cuir taillé à la mesure du pied et retenu par des lanières ou des cordelettes, est très répandu en Terre sainte au moins depuis 2000 av. J.-C. Ce spécimen, bien conservé, a été trouvé à Massada (p. 55) et date de la période romaine.

Très fin et très souple, le métal permettait de fixer le bandeau autour de la tête.

Différents modèles...

... de sandales romaines

L'ART DE LA PARURE

Le besoin de se farder et de se parer de bijoux doit remonter aux origines de l'homme. La parure pouvait exprimer la richesse, le rang social ou encore les croyances religieuses. Dans les sépultures préhistoriques, il n'est pas rare de trouver de simples perles et des pendentifs en os, en coquillages ou en pierre. Ces matériaux primitifs demeurent en usage bien après que l'on eut maîtrisé les techniques du travail de l'or et de l'argent. Chez les artisans cananéens des âges du bronze moyen et récent, la joaillerie est devenue un art accompli. L'orfèvrerie connaît les techniques perfectionnées du repoussé – martelage du métal sur le dos de la feuille – et du granulé – utilisation de petits grains de métal. Les Israélites n'ont pas appris ces techniques, mais les Phéniciens, qui en ont hérité, étaient réputés pour les bijoux qu'ils fabriquaient.

Boucles d'oreilles en or provenant de Lakish, époque romaine

GRAINS D'ARGENT
Cette boucle d'oreille en grenaille d'argent provient de Tell es-Sa'idiyeh, âge du fer.

Boucle d'oreille en or, de l'époque perse, faite de petites sphères creuses

L'ART DE LA COIFFURE
Les plus beaux peignes étaient en os ou en ivoire, souvent finement décorés de motifs géométriques ou naturalistes ciselés.

POUR LES FARDS
Au bronze ancien, des os d'animaux, creusés et finement ciselés, ont servi de boîtes à fards, notamment pour les yeux.

PENDENTIFS
Ces pendentifs en os proviennent de Lakish et datent de l'âge du fer. Leur forme insolite et la présence des points et des cercles laissent à penser que ce n'était pas de simples ornements mais peut-être des calendriers ou des bouliers. Autre hypothèse : en en jetant une poignée sur le sol, on obtenait une combinaison utilisée pour prédire l'avenir.

Le fil de bronze battu se laisse aisément plier.

Les anneaux de bronze, souvent ciselés aux extrémités, sont très répandus tout au long de l'âge du fer. On les portait aussi bien aux chevilles qu'aux poignets.

Perles de faïence

RECONSTITUTION
Comme la plupart des colliers cananéens, celui-ci avait perdu son fil d'origine quand il fut découvert : la disposition des perles est donc arbitraire.

DE BELLES BLEUES
Au bronze récent, beaucoup de perles sont en faïence, d'un bleu vernissé, essentiellement à base de quartz.

OFFRANDES
A Lakish, dans le «temple du fossé», sanctuaire cananéen datant du bronze récent, on a trouvé de nombreux pendentifs en or. Sans doute faisaient-ils partie d'offrandes à la divinité.

FASCINATION
Au cinéma, dans le rôle de Cléopâtre, l'actrice Vivien Leigh portait des bijoux inspirés d'authentiques parures orientales anciennes.

Trace de l'étoffe

Palmette

FLORE ÉGYPTIENNE
Beaucoup de perles et de pendentifs de l'âge du bronze récent révèlent une forte influence égyptienne. Les palmettes sont des motifs typiques.

QUATRE ANNEAUX
Sur ce fragment de figurine en terre cuite de l'âge du fer on distingue, entourant les chevilles, des anneaux du type représenté page 36.

UN POISSON HORS DE L'EAU
Vers la fin de l'âge du bronze récent, beaucoup d'objets importés en Canaan sont d'origine égyptienne. Ce bol en bronze provient d'une tombe de Tell es-Sa'idiyeh, du XIIe siècle av. J.-C. Il avait été fixé sur les organes génitaux au moyen d'une étoffe égyptienne dont on voit encore les traces. Il contenait cette jolie boîte à fards, en ivoire et en forme de poisson.

TERRE SAINTE, TERRE D'ÉCHANGES

Située au centre même du Croissant fertile (p. 29), la Terre sainte était un lieu de passage, de rencontre et d'échanges. Ces contacts remontent au Néolithique, où se développe le commerce de l'obsidienne – roche volcanique de couleur sombre, utilisée pour fabriquer certains outils. Mais c'est au IIIe millénaire av. J.-C., avec les progrès de l'urbanisme, que s'instaure vraiment cette tradition d'échanges internationaux qui allait se poursuivre longtemps. En Palestine, les progrès de l'agriculture permettent l'exportation des surplus de céréales, de farine, d'huile et de vin. Les produits de l'art et de l'artisanat cananéens font aussi l'objet d'une intense exportation. On importait en retour des matières premières comme le bois et le métal.

Découvert à Amathonte, dans l'île de Chypre, ce récipient phénicien en verre contenait de l'encens.

ÉVALUATION
Avant l'invention de la monnaie, on effectuait les transactions commerciales avec des lingots ou de petits morceaux de métal comme unité monétaire de valeur reconnue. Il fallait donc les peser pour s'assurer de leur valeur, d'où la nécessité de disposer de poids justes. Ces spécimens assyriens, en forme de lion, sont gravés au nom du roi Salmanasar III qui les a fait réaliser.

Durant leur premier soulèvement contre Rome en 66 apr. J.-C. (p. 55) les Juifs battaient leur propre monnaie.

EN FOURGON
Cette maquette de chariot en terre cuite provient de Hamman, en Syrie, et représente le type de véhicule utilisé pour le transport des marchandises à la fin du IIIe millénaire av. J.-C. Les métallurgistes ambulants, qui colportaient leurs produits de ville en ville, l'ont peut-être utilisé.

LE SHEKEL
Pièce d'argent utilisée par les Juifs comme étalon monétaire et unité de poids, cette pièce, datant de la première révolte juive, porte en légende les mots «Jérusalem la sainte».

À L'ÉTAPE
Ce tableau suggestif d'Edward Lear (1812-1888) représente une caravane à l'étape près du mont Sinaï. Il donne bien l'idée de ce que pouvait être le trafic des grands chemins dans l'Antiquité.

MONNAIE ROMAINE
C'est avec la conquête d'Alexandre (p. 54) que la monnaie s'est mise à circuler librement en Terre sainte. Les pièces des empereurs romains sont à leur effigie : ici, celle de Vespasien.

BÊTES DE SOMME DES CARAVANES
Sur l'obélisque noir de Salmanasar (p. 33) figurent ces deux chameaux de Bactriane. Le chameau apparaît en Terre sainte à l'époque de Salomon. Auparavant, les caravanes des commerçants étaient formées de dromadaires.

Pièce de monnaie de la seconde révolte juive (132-135 apr. J.-C.) portant le nom de son chef Simon

PROPAGANDE INGÉNIEUSE
Appelées à une circulation considérable, les pièces de monnaie étaient aussi un moyen de propagande. Ces deux pièces de la seconde révolte juive portent les inscriptions en hébreu signifiant «An un de la rédemption d'Israël» sur celle de gauche, «Simon», nom du chef juif de la révolte, sur celle de droite.

L'ETHNARQUE
Ces pièces de bronze datent du règne d'un fils d'Hérode, Archélaüs (4 av. J.-C. – 6 apr. J.-C.). Sur l'une figure un casque à aigrette, sur l'autre une grappe de raisin. La légende en grec signifie «Hérode le gouverneur» (littéralement : le chef de peuple, l'ethnarque).

Lingots en forme de lion

UN BILBIL
A l'âge du bronze récent, on importait en Canaan de toutes petites cruchettes appelées *bilbil*. L'analyse de ce qui subsistait parfois à l'intérieur a montré qu'elles avaient contenu de l'opium. Leur forme présente une ressemblance frappante avec une fleur de pavot vue à l'envers.

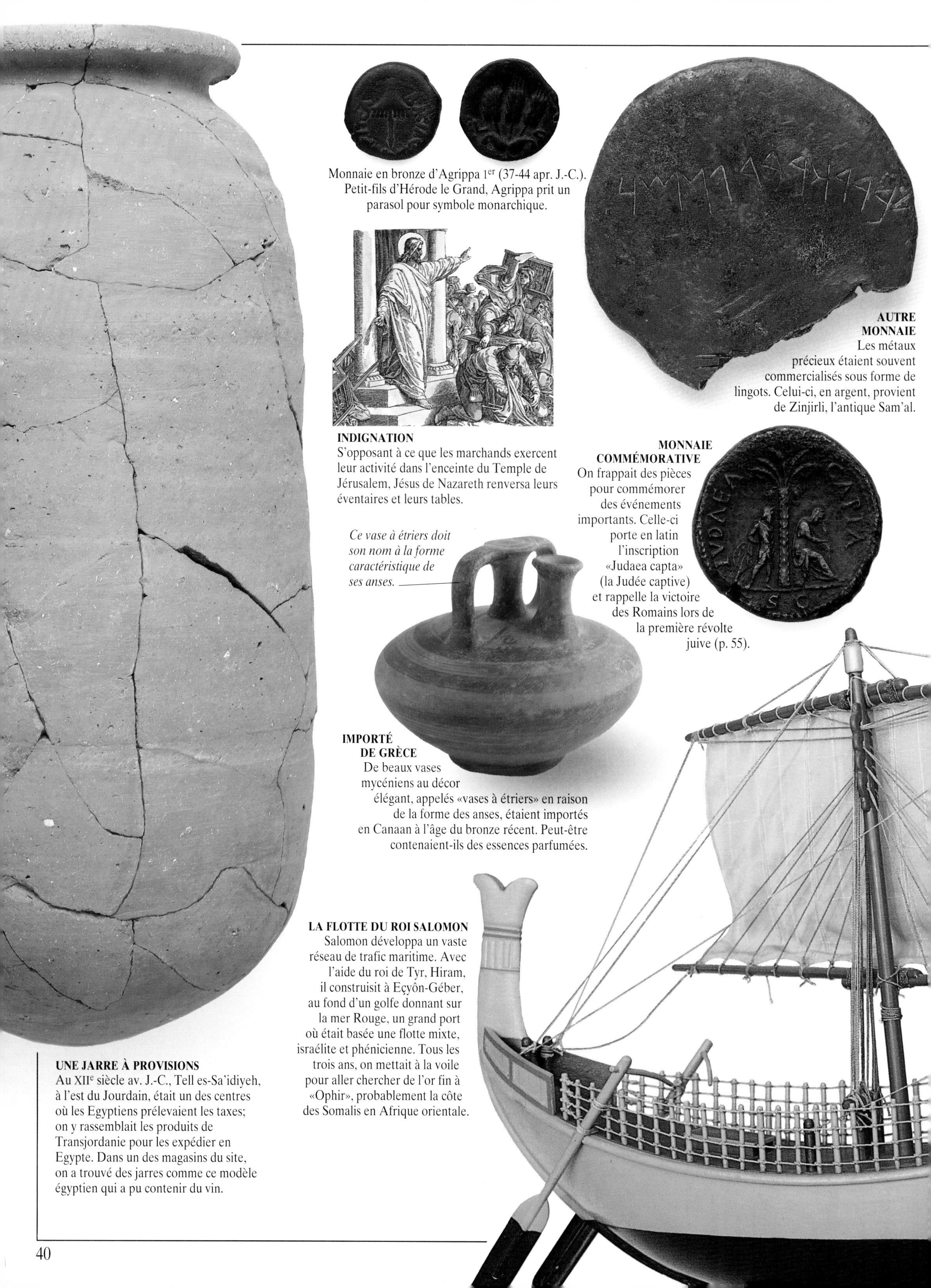

Monnaie en bronze d'Agrippa 1er (37-44 apr. J.-C.). Petit-fils d'Hérode le Grand, Agrippa prit un parasol pour symbole monarchique.

AUTRE MONNAIE
Les métaux précieux étaient souvent commercialisés sous forme de lingots. Celui-ci, en argent, provient de Zinjirli, l'antique Sam'al.

INDIGNATION
S'opposant à ce que les marchands exercent leur activité dans l'enceinte du Temple de Jérusalem, Jésus de Nazareth renversa leurs éventaires et leurs tables.

MONNAIE COMMÉMORATIVE
On frappait des pièces pour commémorer des événements importants. Celle-ci porte en latin l'inscription «Judaea capta» (la Judée captive) et rappelle la victoire des Romains lors de la première révolte juive (p. 55).

Ce vase à étriers doit son nom à la forme caractéristique de ses anses.

IMPORTÉ DE GRÈCE
De beaux vases mycéniens au décor élégant, appelés «vases à étriers» en raison de la forme des anses, étaient importés en Canaan à l'âge du bronze récent. Peut-être contenaient-ils des essences parfumées.

LA FLOTTE DU ROI SALOMON
Salomon développa un vaste réseau de trafic maritime. Avec l'aide du roi de Tyr, Hiram, il construisit à Eçyôn-Géber, au fond d'un golfe donnant sur la mer Rouge, un grand port où était basée une flotte mixte, israélite et phénicienne. Tous les trois ans, on mettait à la voile pour aller chercher de l'or fin à «Ophir», probablement la côte des Somalis en Afrique orientale.

UNE JARRE À PROVISIONS
Au XIIe siècle av. J.-C., Tell es-Sa'idiyeh, à l'est du Jourdain, était un des centres où les Egyptiens prélevaient les taxes; on y rassemblait les produits de Transjordanie pour les expédier en Egypte. Dans un des magasins du site, on a trouvé des jarres comme ce modèle égyptien qui a pu contenir du vin.

LES CHEVAUX DE LA MER
Dans l'Antiquité, le bois était un matériau précieux, mais le plus cher et le plus recherché était celui des cèdres du Liban. Sur ce relief assyrien du VIIIe siècle, des navires phéniciens halent des troncs le long de la côte syrienne. On les appelait *hippoï* (mot grec signifiant «chevaux») à cause de leur proue figurant la tête d'un cheval.

8 shekels

«Neseph», ou cinq sixièmes de shekel

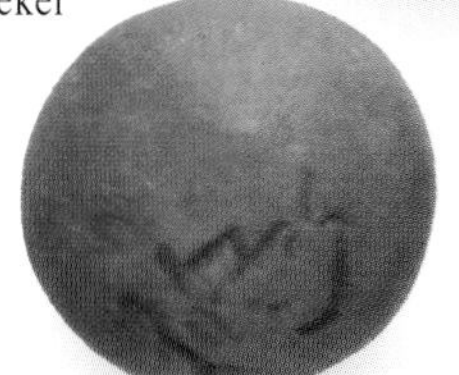

«Beqa'», ou demi-shekel

UNE QUESTION DE POIDS
Le système des poids en Palestine ancienne avait pour unités le shekel (équivalent à peu près à 11,4 gr), la mine (valant 60 shekels) et le kikkar ou talent (valant 60 mines). Sur ces poids en pierre, l'indication de leur valeur est inscrite en hébreu. Les deux plus petits sont de valeur identique.

AU LONG COURS
Les voiles de ce navire marchand romain à deux mâts, appelé *corbita*, étaient faites de longues bandes de toile cousues ensemble et renforcées aux angles par des pièces de cuir. Ces vaisseaux servaient à la navigation hauturière en Méditerranée plutôt qu'au cabotage.

PHAROS
C'était le nom du phare d'Alexandrie, port fondé par Alexandre le Grand et capitale de l'Egypte. C'est l'une des Sept Merveilles du monde antique.

LA POURPRE ROYALE
Parmi les produits colportés par les marchands phéniciens, les étoffes teintes en pourpre étaient des plus recherchées. Sous l'Empire romain, leur prestige était tel que seul l'empereur avait le droit d'en porter.

MIRACULEUSES GOUTTES DE MUREX
Cette teinture de pourpre si prisée, et qui valait aux Phéniciens une telle réputation, était extraite d'un coquillage, le murex. Chaque coquillage fournissait une goutte d'un liquide jaune qui brunissait à la lumière. Ce processus demandait une lente fermentation de quelque deux semaines. Une livre de teinture nécessitait jusqu'à 60 000 coquillages. On obtenait des nuances variées en modifiant les proportions d'extraits de différentes espèces.

ARTISTES ET ARTISANS : DE GRANDS MAÎTRES

Dès les premiers temps, il y eut en Terre sainte des artistes et des artisans capables de produire des œuvres d'une réelle beauté. Certains de ces objets avaient une destination religieuse, d'autres étaient les symboles d'un rang social élevé. Ceux qui ont érigé à l'âge de la pierre les statues trouvées à 'Ain Ghazal (pp. 8-9) révèlent une maîtrise parfaite de leur art et un raffinement extrême de l'ornementation. De la période suivante, le Chalcolithique, de merveilleux ivoires sculptés et des cuivres finement ouvragés nous sont parvenus. Mais c'est grâce aux Cananéens à l'âge du bronze et aux Phéniciens à l'âge du fer que cette tradition artistique et artisanale accéda au niveau d'une véritable industrie. Ces peuples ont produit les œuvres admirées et recherchées dans tout le bassin oriental de la Méditerranée et même au-delà.

HACHE DE CÉRÉMONIE
A l'âge du bronze moyen, le travail du métal ne cesse de se perfectionner. Cette hache, ornée d'un lion combattant un chien, était sans doute destinée à un objet de cérémonie.

Ecriture alphabétique gravée

UN FOYER À JÉRICHO
Certaines tombes fouillées à Jéricho contenaient du mobilier de bois très bien conservé. Les menuisiers et les charpentiers de Canaan, très bien outillés, assemblaient les pièces avec beaucoup de précision et sculptaient.

PLAISIRS DE LA DANSE ET DE LA MUSIQUE
Toute l'histoire de la Palestine atteste que la musique et la danse y étaient fort prisées mais peu d'instruments ont été conservés. Les textes et l'iconographie suggèrent une grande diversité d'instruments : à cordes, harpes et lyres, à vent, flûtes et trompettes, et surtout à percussion.

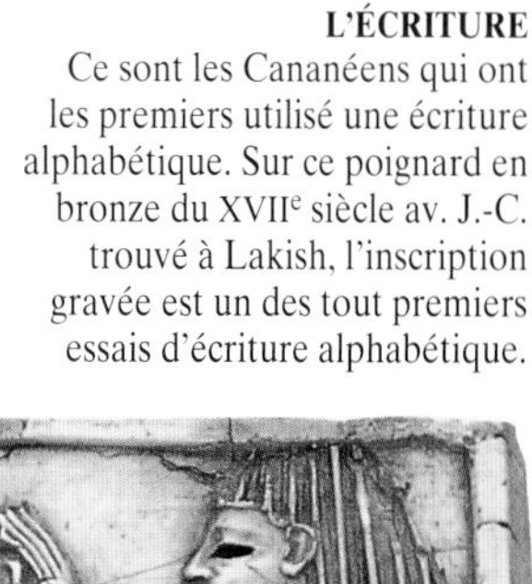

L'ÉCRITURE
Ce sont les Cananéens qui ont les premiers utilisé une écriture alphabétique. Sur ce poignard en bronze du XVIIe siècle av. J.-C. trouvé à Lakish, l'inscription gravée est un des tout premiers essais d'écriture alphabétique.

REINES D'IVOIRE
Cananéens et Phéniciens étaient célèbres pour leurs ivoires sculptés, souvent incrustés dans le mobilier. Cette scène en ivoire phénicien du IXe siècle, provenant de la ville assyrienne de Nimrud, représente deux reines en style égyptien. Elle est encore rehaussée d'incrustations de pâte de verre bleu et d'un plaqué d'or. Souvent, une lettre était gravée au dos de chaque pièce pour en faciliter l'assemblage.

SUR PIERRE DURE
Le combat entre un lion et un chien paraît avoir été une des scènes favorites des Cananéens. Ce fragment de basalte noir, une pierre très dure et difficile à travailler, provient de Bet-Shân et date du XIVe siècle av. J.-C.

Plaqué or

La plupart des techniques antiques de poterie sont encore pratiquées aujourd'hui; ainsi, ce potier égyptien fabriquant des pièces simples, à usage domestique.

UNE DRÔLE DE TÊTE
Du point de vue technique comme du point de vue esthétique, ce qui s'est fait de mieux en Palestine en matière de poterie est la poterie cananéenne. Le sens de l'humour n'y fait pas défaut comme en témoigne ce vase anthropomorphe. Il date du VIe siècle av. J.-C. et provient de Jéricho.

DE STYLE SYRIEN
Le style de cette tête de femme en ivoire, trouvée à Nimrud, contraste avec le raffinement de la pièce phénicienne de la page de gauche. Il s'agit sans doute du travail d'un sculpteur syrien.

DES GRAINS D'OR
Ce délicat pendentif provient de Tell el-Ajjoul et date du XVIe siècle av. J.-C. Le décor en est un granulé obtenu en fondant un fil d'or en grains minuscules que l'on soudait ensuite à la pièce.

Grenaille

TAILLÉ DANS LA PIERRE
Aux âges du bronze récent et du fer, les vases taillés dans la calcite et dans l'albâtre foisonnent. Peut-être y mettait-on des huiles aromatiques. Celui-ci provient de Tell es-Sa'idiyeh.

LES TRÉSORS DU TEMPLE
En quittant Canaan au XIIe siècle, les Egyptiens emmenèrent avec eux l'élite des artistes et des artisans. Salomon obtint du roi de Tyr que des artisans phéniciens viennent travailler à Jérusalem. Ce sont eux sans doute qui fabriquèrent le mobilier du Temple décrit dans la Bible et restitué sur cette gravure du XIXe siècle.

Cavalier araméen sur une plaque en relief du IXe siècle av. J.-C., provenant de Tell Halaf, le Gozân de la Bible.

ARMES ET TECHNIQUES DE GUERRE

La fabrication d'armes pour chasser et pour se défendre a été l'une des premières activités de l'homme. Jusqu'à la découverte de la métallurgie du cuivre, il y a plus de 6 000 ans, elles étaient en bois, en os et en pierre. À l'âge du bronze ancien, avec le développement de l'urbanisme, les techniques de guerre se perfectionnent, des armées se constituent. On produit en grande quantité des épées, des dagues, des lances, des haches, d'abord en cuivre, puis en bronze. Par la suite, l'art de la guerre et l'armement s'améliorent encore : en rase campagne, la cavalerie et les chars font leur apparition ; dans les villes, de mieux en mieux fortifiées, les machines de siège se spécialisent. Ce sont, sans doute, les Philistins qui ont introduit en Canaan le travail du fer vers 1200 av. J.-C. : il se substituera peu à peu au bronze dans la fabrication de l'armement.

LA MORT D'UN GÉANT
La fronde est une des armes les plus anciennes, mais peu de spécimens en ont été conservés car elle était alors en cuir ou en étoffe. En revanche, les archéologues trouvent en abondance des balles de fronde : les unes sont en argile, en forme de boulet, les autres sont de simples galets ronds et polis.
Le récit de la Bible qui raconte comment David tua un chef philistin à l'aide de sa fronde est tout à fait vraisemblable, compte tenu de la redoutable précision de cette arme.

Deux casques de l'époque perse

VISER JUSTE
Ce frondeur figure sur un relief du IXe siècle av. J.-C. provenant du palais royal de Tell Halaf (Gozân) en Syrie.

UNE BONNE POIGNE
Ce poignard de l'âge du bronze récent provient d'Alalakh en Syrie. Le fondeur a ménagé dans la garde une rainure profonde où vient facilement s'insérer une poignée en os ou en bois.

Lame large au tranchant de taille

Une poignée en bois ou en os était attachée à l'épée par des rivets de cuivre.

Arête centrale de renforcement

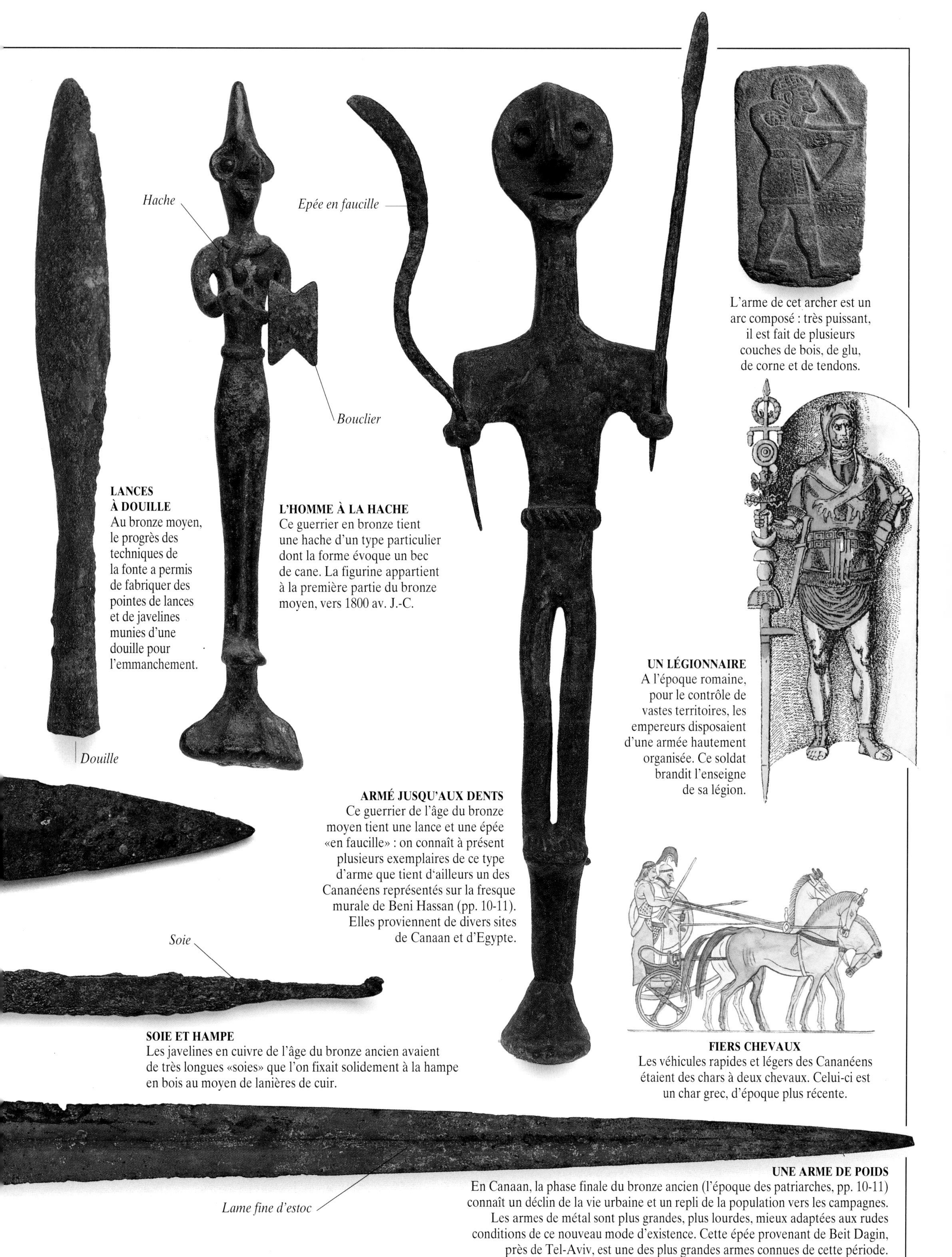

L'arme de cet archer est un arc composé : très puissant, il est fait de plusieurs couches de bois, de glu, de corne et de tendons.

LANCES À DOUILLE
Au bronze moyen, le progrès des techniques de la fonte a permis de fabriquer des pointes de lances et de javelines munies d'une douille pour l'emmanchement.

L'HOMME À LA HACHE
Ce guerrier en bronze tient une hache d'un type particulier dont la forme évoque un bec de cane. La figurine appartient à la première partie du bronze moyen, vers 1800 av. J.-C.

UN LÉGIONNAIRE
A l'époque romaine, pour le contrôle de vastes territoires, les empereurs disposaient d'une armée hautement organisée. Ce soldat brandit l'enseigne de sa légion.

ARMÉ JUSQU'AUX DENTS
Ce guerrier de l'âge du bronze moyen tient une lance et une épée «en faucille» : on connaît à présent plusieurs exemplaires de ce type d'arme que tient d'ailleurs un des Cananéens représentés sur la fresque murale de Beni Hassan (pp. 10-11). Elles proviennent de divers sites de Canaan et d'Egypte.

SOIE ET HAMPE
Les javelines en cuivre de l'âge du bronze ancien avaient de très longues «soies» que l'on fixait solidement à la hampe en bois au moyen de lanières de cuir.

FIERS CHEVAUX
Les véhicules rapides et légers des Cananéens étaient des chars à deux chevaux. Celui-ci est un char grec, d'époque plus récente.

UNE ARME DE POIDS
En Canaan, la phase finale du bronze ancien (l'époque des patriarches, pp. 10-11) connaît un déclin de la vie urbaine et un repli de la population vers les campagnes. Les armes de métal sont plus grandes, plus lourdes, mieux adaptées aux rudes conditions de ce nouveau mode d'existence. Cette épée provenant de Beit Dagin, près de Tel-Aviv, est une des plus grandes armes connues de cette période.

UN PREUX
Ce tableau peint par William Dyce (1806-1864) représente Joas, fils de Shemaa de Gibéa, l'un des preux de David.

LE SIÈGE DE LAKISH

Israël, le royaume du Nord, disparut en 722 av. J.-C. avec la prise de Samarie par les Assyriens. Juda, le royaume du Sud, dut aussi se soumettre à la puissance assyrienne. En 704, le roi Ezéchias (716-687 ou 686) se révolta bien contre le roi d'Assyrie, Sennachérib, mais en vain. Trois ans plus tard, ce dernier attaquait Juda, détruisant un grand nombre de villes, dont Lakish. Le siège et la prise de cette cité ont été représentés sur une série de bas-reliefs du palais de Sennachérib à Ninive. Enfin, les Assyriens marchèrent sur Jérusalem et Ezéchias dut se soumettre et payer un lourd tribut.

POINTES DE FLÈCHES
A partir de 2000 av. J.-C., le bronze sert couramment à la fabrication des pointes de flèches. C'est après 1100 que celles-ci seront en fer.

Diverses pointes de flèches en bronze

Pointe de flèche en fer

BATTUS EN BRÈCHE
Ces machines de guerre, appelées béliers, étaient destinées à abattre les remparts. Utilisées jusqu'à l'invention des explosifs, elles remontent peut-être à l'âge du bronze moyen.

Torches enflammées jetées par les défenseurs

Echelle brisée : les Assyriens s'en servaient pour l'escalade, les défenseurs l'ont repoussée.

Bélier de siège

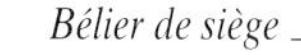

UNE CARAPACE DE BOUCLIERS
Les Romains avaient des glaives courts et des boucliers rectangulaires. En ordre serré, ils imbriquaient leurs boucliers les uns dans les autres pour former une sorte de mur ou de toit compact. Ce dispositif était connu sous le nom de *testudo,* ou tortue.

HACHES D'ARMES
Vers la fin du IIIe millénaire av. J.-C., on se mit à fabriquer des haches munies d'un manchon. C'étaient des armes redoutables pour percer les casques en métal – et pour fracasser les crânes!

BEC DE CANE
Durant l'âge du bronze moyen, la lame des haches s'allonge, donnant ce qu'on a appelé le type en «bec de cane».

Parapet de boucliers ronds au-dessus de la porte de la ville

Archers et frondeurs judéens défendant la porte fortifiée

Grand bouclier recourbé

Un archer assyrien : son casque à pointe était une protection efficace contre la pluie de flèches.

Lancier assyrien coiffé d'un casque à cimier

Rampes de siège faites de levées de terre recouvertes de rondins

Les déportés en route pour l'exil en Assyrie emportent quelques effets dans un baluchon.

Hache emmanchée

Au siège de Lakish, les Assyriens portaient des armures à écailles de bronze de ce type.

Armure à écailles telle qu'on se la représentait au XIXe siècle

Cette catapulte romaine lançait de gros projectiles. On l'appelait onagre (âne sauvage) à cause de son effet de recul comparé à une ruade.

LES ASSYRIENS : DE REDOUTABLES VOISINS

L'existence du royaume d'Assyrie, dont le centre était la vallée du Tigre, au nord de l'Irak, remonte au moins à 4 000 ans. Au cours du IXe siècle av. J.-C., les rois assyriens inaugurèrent une politique expansionniste, autant pour protéger leurs frontières que pour s'assurer le contrôle des routes commerciales. Les deux siècles suivants, leurs armées opérèrent une avancée implacable grâce à des campagnes répétées en Syrie, en Phénicie, en Israël et en Juda. Les rois de ces pays tentaient de gagner du temps en payant de lourds tributs aux Assyriens, mais dès qu'ils n'étaient plus en mesure de faire face à leurs exigences croissantes, ou dès qu'ils manifestaient la moindre résistance, les représailles étaient effroyables. L'Empire assyrien s'augmentait ainsi des territoires conquis. En 722 av. J.-C., le royaume du Nord, Israël, cessa pratiquement d'exister avec la prise de la capitale, Samarie, et la perte d'une partie considérable de ses habitants, la politique assyrienne consistant à déplacer les populations des pays conquis. Juda devait survivre plus longtemps, mais au prix d'un tribut accablant.

UN DIEU DOMESTIQUE
Souvent, les Assyriens plaçaient des images de divinités dans le sol des maisons et des palais pour en éloigner les démons malfaisants. Ici, c'est le dieu Lahmu, «le chevelu».

LE COMBAT DU HÉROS
Guerriers de réputation, les Assyriens étaient néanmoins de grands amateurs d'art. Sur cette plaque en ivoire, le sculpteur a représenté un héros ou un roi affrontant un lion. L'objet est de fabrication locale.

L'EXPANSION DE L'EMPIRE
L'Empire assyrien atteignit sa plus grande extension au début du VIIe siècle av. J.-C. : il s'étendait alors de l'Iran jusqu'à l'Egypte.

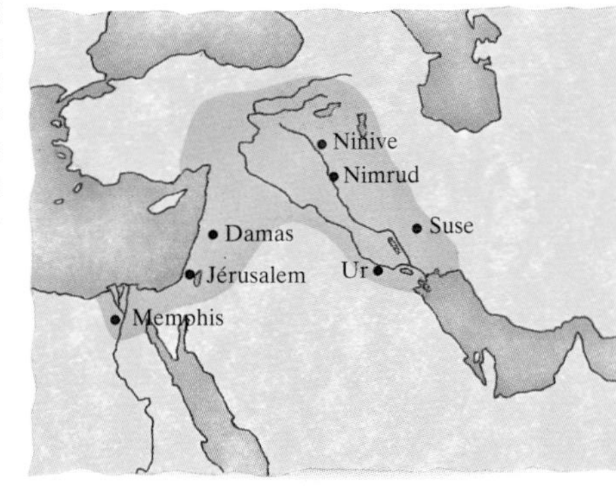

Flacon

Gobelet

DOMESTIQUE ET PRINCIER
Ces deux poteries des VIIIe-VIIe siècles av. J.-C. témoignent d'une maîtrise technique et d'un grand sens esthétique. Le gobelet, aux parois minces, est un exemple de ce qu'on a appelé «la céramique assyrienne de palais». Le petit flacon est décoré d'une glaçure multicolore.

DÉESSE DE LA GUERRE
Cette plaque de bronze représente Ishtar, la déesse principale des Assyriens. On l'a montrée ici en déesse de la guerre, armée et montée sur son animal favori, le lion. Ishtar était l'équivalent de la déesse cananéenne Astarté (pp. 24-25).

UN BUTIN PHÉNICIEN
Les ivoires sculptés étaient souvent employés pour la décoration du mobilier. Ce panneau, qui provient de la capitale assyrienne Nimrud, est l'œuvre d'un artiste phénicien. La femme porte une perruque de style égyptien. Sans doute cette pièce faisait-elle partie d'un butin ou d'un tribut rapporté d'une campagne à l'ouest, au VIIIe siècle av. J.-C.

DÉESSE DE L'AMOUR
Cette plaque bleue représentant une déesse ailée provient du temple de Ninurta à Nimrud et date du IXe siècle av. J.-C. Il s'agit sans doute d'Ishtar, ici en déesse de l'amour.

La couleur bleue est caractéristique de l'ornementation assyrienne.

TRIBUT ROYAL
Les campagnes du roi Salmanasar III (858-824 av. J.-C.) ont été commémorées sur l'Obélisque noir, monument en basalte érigé dans sa capitale, Nimrud. Une des scènes montre un roi d'Israël, Jéhu, apportant son tribut à Salmanasar. Le personnage prosterné n'est d'ailleurs pas nécessairement Jéhu lui-même mais son envoyé. Le tribut est représenté sur un autre panneau de l'obélisque.

LA PART DU LION
Le lion était un des sujets de prédilection de l'art assyrien. Celui-ci était peut-être fixé au manche d'un éventail.

POUR APPOSER SA MARQUE
En faisant rouler un cylindre de pierre, gravé d'un motif, sur l'argile crue des tablettes ou la paroi des vases avant leur cuisson, on obtenait l'impression du motif. Ce pouvait être une signature ou une marque de propriété. Ce cylindre-sceau en chalcédoine représente un héros mythique saisissant deux autruches par le col.

LA SALLE DU TRÔNE
Ce riche décor de la salle du trône du roi Assurnasirpal II à Nimrud n'est que la reconstitution d'un artiste du XIXe siècle. Aujourd'hui en pierre nue, les reliefs sculptés étaient à l'origine peints de couleurs vives.

BABYLONE LA GRANDE

Sceau hébreu de la période néo-babylonienne

La Mésopotamie, le « pays entre les deux fleuves », c'est-à-dire le Tigre et l'Euphrate, est aujourd'hui connue sous le nom d'Irak. C'est l'un des plus anciens centres de civilisation au Moyen-Orient. Voici 4 000 ans, les Amorites, peuple originaire du désert syrien, fondèrent une dynastie dans la ville de Babylone sur l'Euphrate. Au XVIIIe siècle av. J.-C., sous le règne de Hammourabi, les Babyloniens dominent la Mésopotamie tout entière et leur empire s'étend de Mari, au nord-ouest, à Elam, à l'est, dans la région de Suse. C'est la période dite de l'Ancien Empire babylonien. Elle prit fin quand le roi des Hittites, Mursilis 1er, l'attaqua en 1595 av. J.-C. et détruisit la cité de Babylone. Le sort tourna au VIIe siècle av. J.-C. quand un dignitaire local d'origine chaldéenne, Nabopolassar, s'empara du pouvoir en Mésopotamie du Sud et devint roi de Babylone : il fondait ainsi la dynastie chaldéenne, ou néo-babylonienne.

Souvent, des massues en pierre étaient dédiées aux dieux et déposées dans les temples. Celle-ci est destinée à Nergal, dieu du séjour des morts, aussi qualifié de dieu destructeur.

FIGURINE DE FONDATION
On plaçait dans les fondations des temples une figurine de bronze du roi portant dans un panier des matériaux de construction. L'inscription mentionne le nom du roi et celui du dieu ou de la déesse du temple.

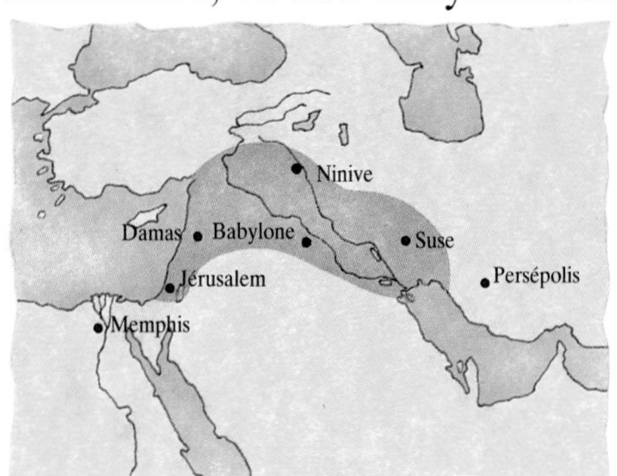

L'EMPIRE DE NABOPOLASSAR
En 612, Nabopolassar, allié aux Mèdes, renversait la puissance assyrienne et en revendiquait l'héritage territorial dont Juda faisait partie. En 587, son fils Nabuchodonosor II fit une expédition en Juda à la suite de la révolte du roi Joiaqim, et, dix ans plus tard, lança une campagne dévastatrice au cours de laquelle Jérusalem fut détruite et le royaume du Sud disparut.

L'ÂGE DU VERSEAU
C'est aux Babyloniens que l'on attribue l'invention du zodiaque. Cette plaque en terre cuite représente un géant faisant couler deux colonnes d'eau : c'est l'ancêtre du Verseau.

UNE PORTE MONUMENTALE
Nabuchodonosor II (604-562) reconstruisit Babylone. Un des monuments les plus imposants en était la Porte d'Ishtar, ouvrant sur la voie sacrée par laquelle on accédait au temple principal.

UNE TOUR OU UN TEMPLE ?
Selon le livre de la Genèse, les descendants de Noé avaient édifié la Tour de Babel afin d'atteindre le ciel. C'est une allusion à la ziggourat (p. 10). Cette *Tour de Babel* a été imaginée par le Flamand Pieter Bruegel (1525-1569).

UNE BORNE
Sous l'Ancien Empire, on enregistrait sur des tablettes d'argile l'allocation de terres et la remise d'impôts aux personnes ou aux districts. Les bornes constituaient un autre système d'enregistrement public. Il s'agissait de pierres sculptées et érigées dans un temple ou dans la parcelle de terre à laquelle elles se référaient. L'inscription du texte est précédée de symboles gravés représentant les dieux et les déesses témoins du contrat.

Les gens riches ou influents portaient des ornements de ce type cousus à leurs habits.

LE PERSE LIBÉRATEUR

Originaires du Turkestan, les Perses pénétrèrent en Iran occidental au cours du second millénaire av. J.-C. et se fixèrent à Parsa, aujourd'hui Fars. Leur histoire est étroitement liée à celle des Mèdes, installés dans la même région. Alliés aux Babyloniens, les Mèdes, sous la conduite de leur roi Cyaxare, renversèrent l'État assyrien en 612 av. J.-C. Soixante-deux ans plus tard, Cyrus l'Achéménide déposa son grand-père, le roi Astyage, et devint le chef des Mèdes et des Perses. L'Empire achéménide était né : il devait aller en se consolidant, Cyrus ayant tôt fait d'annexer une grande partie de l'Anatolie occidentale. En 539 av. J.-C., il battit les Babyloniens et hérita de leur empire, qui comprenait la Syrie et la Palestine. C'est sous son règne que les Juifs furent autorisés à retourner en Palestine. La reconstruction de Jérusalem, et de son temple, est décrite dans les livres d'Esdras et de Néhémie.

L'EMPIRE ACHÉMÉNIDE
Fondé par Cyrus, il atteignit son apogée sous le règne de Darius 1er (522-486 av. J.-C.) : il s'étendait alors de l'Egypte et de la Libye à l'ouest jusqu'à l'Indus à l'est.

EN FACTION
Ce garde perse est représenté sur une frise en brique vernissée du palais de Suse.

DU CHARME
Cette chèvre en argent date du Ve siècle av. J.-C. et proviendrait de Persépolis.

AU CENTRE DE L'EMPIRE
Bâti par Darius 1er et par son fils Xerxès 1er (486-465 av. J.-C.) qui lui succède, Persépolis fut un centre administratif et religieux important. Cette reconstitution imaginaire date du XIXe siècle.

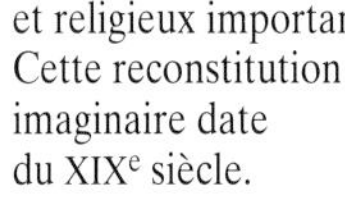

Ecriture cunéiforme

UN LION AUX ABOIS
Cette chasse royale au lion a été obtenue à partir d'un cylindre-sceau en agate. L'inscription porte le nom de «Darius le grand roi», sans doute Darius 1er.

UNE PARURE EXOTIQUE
Les rois de Perse employaient des artistes et des artisans de toutes nationalités, si bien que leurs œuvres d'art révèlent souvent une influence étrangère. Sur ce plat en argent, des incrustations d'or figurent un lion ailé dont la tête est celle du dieu nain égyptien Bès, coiffé d'une couronne emplumée.

Bec destiné à la mèche

POUR FAIRE LA LUMIÈRE
Cette lampe en bronze datant du VIe siècle av. J.-C. a été trouvée à Lakish dans le «sanctuaire solaire», un petit temple associé à un culte du soleil.

SOLENNITÉ
Cette reconstitution imaginaire représente une des cérémonies qui ont dû se dérouler à Persépolis.

LE CYLINDRE DE CYRUS
Le texte inscrit sur ce cylindre d'argile raconte comment Cyrus autorisa les captifs de Babylone à retourner dans leurs patries. Il ne mentionne pas les Juifs, mais c'est pourtant bien cette politique qui leur permit de revenir en Palestine.

RÉVOLTES JUIVES CONTRE LES ROMAINS

Après la bataille d'Issos, en 332, l'immense empire des Perses tomba aux mains d'Alexandre le Grand (356-323 av. J.-C.), conquérant macédonien. À sa mort, la Palestine fut d'abord dirigée par un de ses généraux, Ptolémée, et ses descendants, avant de passer sous la domination des Séleucides, dont la dynastie était installée en Syrie. En 167, le Séleucide Antiochus IV s'empara du Temple de Jérusalem, le pilla et interdit la pratique de la religion juive. Les Juifs se révoltèrent et, grâce à de brillantes campagnes, battirent les Séleucides et donnèrent à Juda une courte période d'indépendance, de 140 à 63 av. J.-C. environ. C'est le règne des Asmonéens, dont la fin fut marquée par une guerre civile implacable qu'arrêta seule l'intervention des Romains. En 63 av. J.-C., le général romain Pompée entrait à Jérusalem. Le pays, qu'on appelait alors la Judée, reçut une demi-indépendance en 40 av. J.-C. quand le sénat romain nomma Hérode roi de Jérusalem en récompense de sa fidélité à Rome. Un de ses fils, Archélaüs, lui succéda en 4 av. J.-C. mais, incapable de gouverner, il fut destitué en l'an 6 apr. J.-C. par Auguste qui fit de la Judée une province romaine de troisième rang sous l'autorité d'administrateurs appelés procurateurs.

HELLÉNISME TRIOMPHANT
L'immense empire d'Alexandre le Grand s'étendait de la Grèce à l'Inde de l'Ouest. La Palestine en fit partie à une époque de profonds changements. Des traditions ancestrales furent abandonnées sous l'influence de l'hellénisme qui introduisit massivement sa culture (et plus tard la culture romaine) dans les arts, l'architecture, la religion, et dans la langue même.

DE GRÈCE EN ÉGYPTE
A la mort d'Alexandre, ses généraux se disputèrent son empire. Un Macédonien, Ptolémée 1er (360-283 av. J.-C.), s'empara de l'Egypte et de la Palestine et fonda la dynastie des Lagides dont Alexandrie, en Egypte, devint la nouvelle capitale. La famille des Ptolémées était grecque, mais on les a souvent représentés sous le même aspect que les souverains égyptiens. Cette stèle en calcaire peint montre Ptolémée II succédant à son père en 283 av. J.-C.

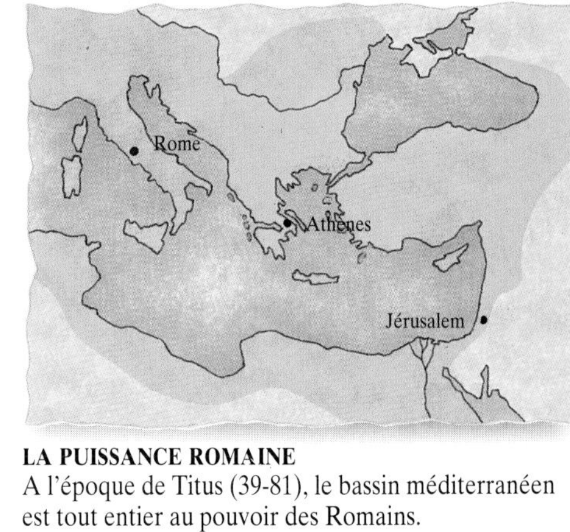

LA PUISSANCE ROMAINE
A l'époque de Titus (39-81), le bassin méditerranéen est tout entier au pouvoir des Romains.

SPLENDEUR PASSÉE
Ce modèle réduit d'autel en bronze, d'époque romaine, provient de Byblos, qui fut une grande cité, un grand port phénicien, mais n'est plus alors qu'une ville de second plan.

UN SACRIFICE AUX DIEUX
L'obligation de rendre un culte aux divinités païennes grecques et romaines blessait profondément les juifs.

LES RÉVOLTES JUIVES
En 66 apr. J.-C., les Juifs de Palestine, sous la conduite de prêtres de haut rang et de pharisiens, se soulevèrent contre la domination romaine. Cette révolte fut réprimée avec une sévérité extrême par l'empereur Vespasien (9-79) assisté de son fils Titus. En 70, ce dernier s'empara de Jérusalem et détruisit le Temple. La dernière place forte juive, Massada, tomba aux mains des Romains en 74, après le suicide collectif de ses défenseurs. Une seconde révolte, en 132, fut écrasée par l'empereur Hadrien (76-138).

Buste en marbre de l'empereur Tibère (42 av. J.-C.-37 apr. J.-C.)

L'ARC DE TITUS
La victoire des Romains dans la première guerre juive est commémorée par des frises sculptées sur un arc monumental de Rome. Il fut érigé par l'empereur Domitien (51-96) à la mémoire de son frère Titus à qui il succéda.

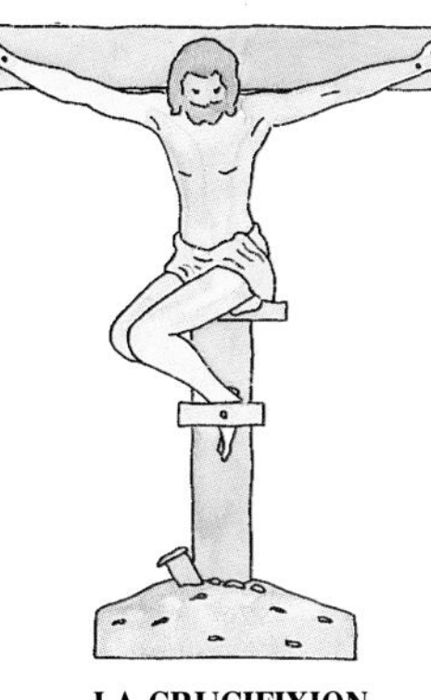

LA CRUCIFIXION
Cette reconstitution montre comment Jésus dut être crucifié.

Cette cruchette romaine en forme de tête n'a pas été façonnée mais moulée. Elle provient de Jérusalem et date du IIe siècle apr. J.-C.

LE CALVAIRE
Depuis l'an 6 apr. J.-C., la Judée était une province de l'Empire romain, administrée par des procurateurs. C'est sur ordre de Ponce Pilate, le cinquième d'entre eux (en charge de 27 à 36), que Jésus-Christ a été crucifié.

ANCIENS ET NOUVEAUX DIEUX
Les Grecs et les Romains introduisirent leurs propres dieux et déesses. En Phénicie, où la religion cananéenne s'était maintenue jusqu'à l'arrivée d'Alexandre, la plupart des divinités nouvelles ont pu être apparentées aux anciennes. Ainsi, la déesse «nouvelle» Aphrodite, que l'on voit ici représentée par une statue en bronze provenant de Byblos, fut assimilée à la déesse cananéenne et phénicienne de la fertilité, Astarté (pp. 24-25).

SÉPULTURES ROMAINES
A l'époque romaine, la sépulture s'effectuait en deux temps. Le corps était d'abord enveloppé dans un drap, puis parfumé et placé dans la tombe sur une banquette. Plus tard, une fois les chairs tombées, la famille rassemblait les ossements et les plaçait dans un coffre de pierre appelé ossuaire.

L'IRRÉSISTIBLE ASCENSION D'HÉRODE LE GRAND

Lorsque le général romain Pompée entra dans Jérusalem en 63 av. J.-C., il commit un outrage envers la communauté juive en pénétrant dans le Saint des Saints – partie la plus sacrée du Temple. Mais Hyrcan II, le dernier roi de la dynastie asmonéenne, et Antipater, son conseiller, surent habilement éviter l'affrontement, de même qu'ils manœuvrèrent en parfaits politiciens, lors de la lutte pour le pouvoir qui opposa Jules César et Pompée, en se rangeant du côté de César juste au bon moment. Hérode, le fils d'Antipater, ne fut pas moins bon manœuvrier, soutenant d'abord Marc Antoine, puis son rival heureux, Auguste. Il passa ainsi pour un ami de Rome ce dont il fut récompensé en devenant roi de Judée en 40 av. J.-C.

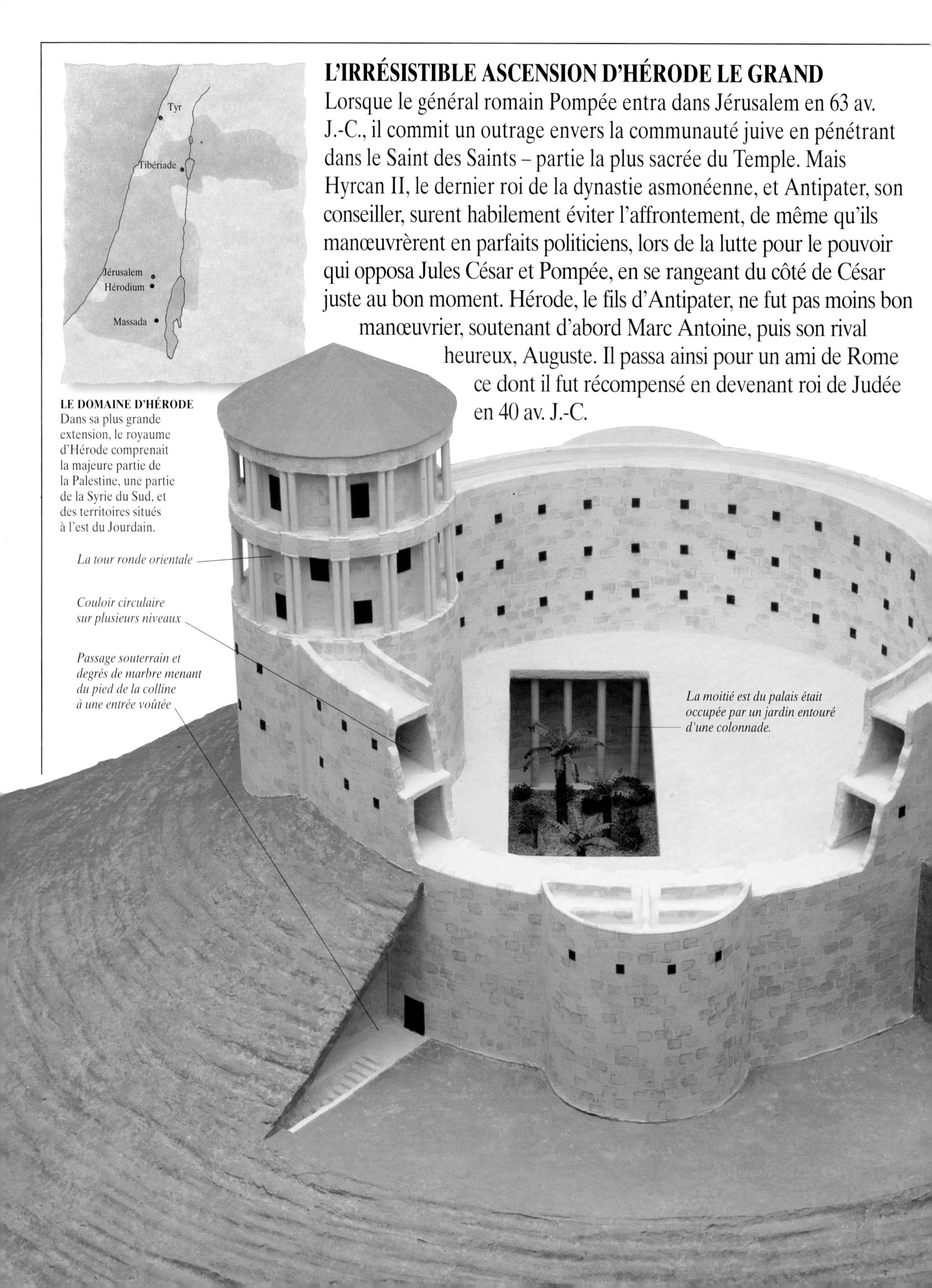

LE DOMAINE D'HÉRODE
Dans sa plus grande extension, le royaume d'Hérode comprenait la majeure partie de la Palestine, une partie de la Syrie du Sud, et des territoires situés à l'est du Jourdain.

UNE BELLE INSTALLATION
Dans la partie ouest du palais de l'Hérodium se trouvaient les quartiers d'habitation et les services. Cette impressionnante salle de bains était décorée de mosaïque et de fresques.

SANGLANTE RÉCOMPENSE
Pour remercier Salomé d'avoir si bien dansé, on lui offrit la tête de Jean le Baptiste qui avait été emprisonné dans la forteresse hérodienne de Machéronte.

Salomé, tableau de Cranach l'Ancien (1472-1553)

L'HÉRODIUM
Hérode fut un grand bâtisseur, mais il reste peu de chose de sa réalisation la plus grandiose : la reconstruction du Temple de Jérusalem. Les fouilles effectuées dans le palais-forteresse, situé sur une hauteur à proximité de la mer Morte, permettent cependant de se faire une idée de la splendeur de son œuvre architecturale. Cette forteresse sise à 12 km au sud de Jérusalem comportait un luxueux palais qui fut aussi la sépulture d'Hérode. La photographie est une vue aérienne du site en son état actuel. La maquette reproduit l'ensemble tel qu'il a pu être au temps d'Hérode.

Enormes pierres sur lesquelles les juifs viennent se lamenter de la destruction du Temple en 70 apr. J.-C. et de la dispersion d'Israël.

LE MUR DES LAMENTATIONS
C'est une partie du mur de soutènement de l'esplanade sacrée au centre de laquelle se dressait le Temple d'Hérode à Jérusalem.

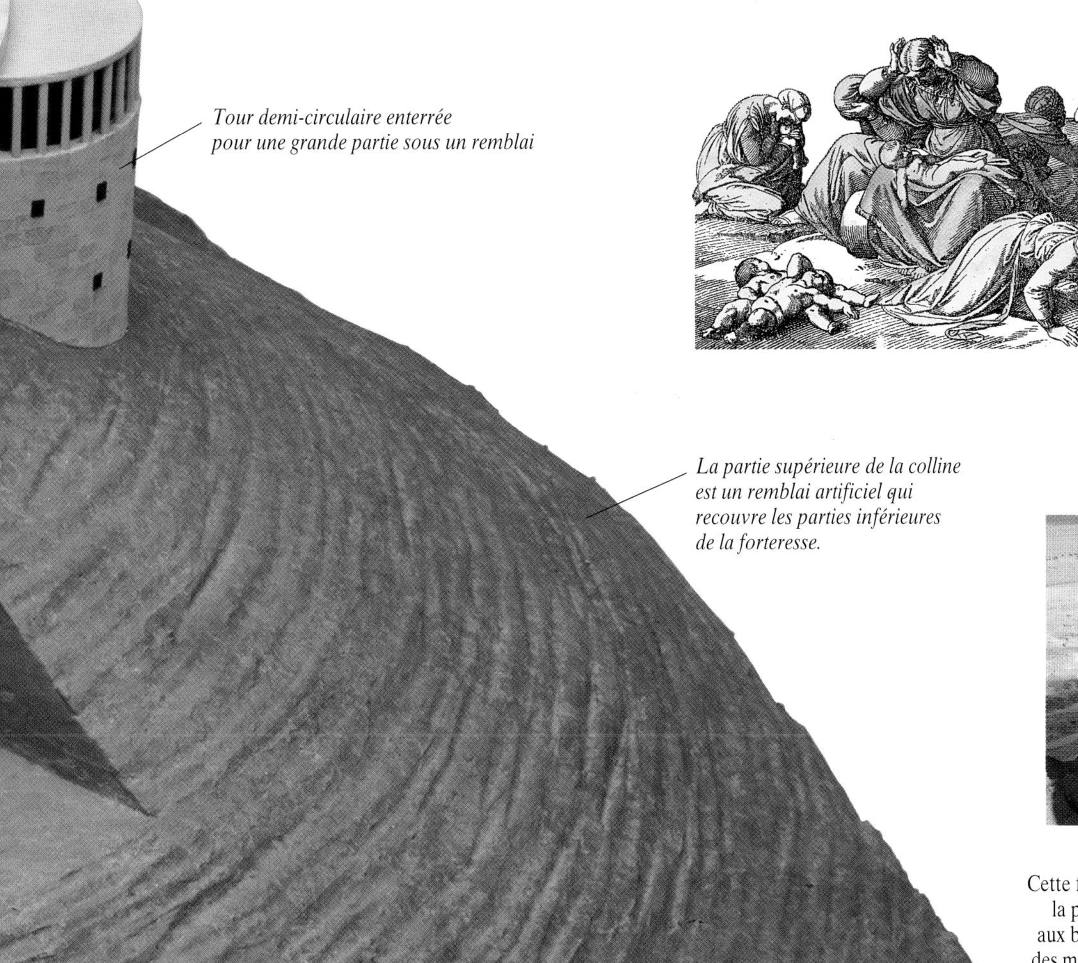

Tour demi-circulaire enterrée pour une grande partie sous un remblai

La partie supérieure de la colline est un remblai artificiel qui recouvre les parties inférieures de la forteresse.

LE MASSACRE DES INNOCENTS
D'après le Nouveau Testament, Hérode fit assassiner les enfants de Bethléem afin d'éliminer Jésus de Nazareth.

MASSADA
Cette forteresse devait devenir célèbre durant la première révolte juive. Hérode adjoignit aux bâtiments existants d'immenses citernes, des magasins pour les armes et les provisions, ainsi qu'un palais luxueux bâti sur trois terrasses naturelles du rocher.

LA BIBLE AUX SOURCES DE L'HISTOIRE

La Bible que nous connaissons aujourd'hui, aussi bien l'Ancien que le Nouveau Testament, n'est pas un livre unique mais un recueil de nombreux livres. Pour les archéologues qui travaillent en Terre sainte, c'est une mine d'informations d'ordre historique, religieux, philosophique, sociologique, littéraire et poétique. Comme tout autre corpus de documents antiques, il faut l'aborder de manière critique, avec discernement. Bien des livres sont des compilations éditoriales remaniées et achevées souvent fort longtemps après les événements relatés. Étudier la Bible en son développement, en établir les divers stades rédactionnels, constitue en soi de vastes domaines de la recherche.

LES ROULEAUX DE LA MER MORTE
En 1947, un berger arabe de Palestine, parti à la recherche d'une chèvre, découvrit une grotte près de Khirbet Qoumrân qui renfermait d'anciens manuscrits hébreux. Ces «rouleaux de la mer Morte» avaient été déposés dans des jarres comme celle-ci. Incomplets et fragmentaires, ce sont les versions de la Bible les plus anciennes que l'on connaisse.

Un des rouleaux de Qoumrân contient le texte du livre du prophète Habaquq avec son commentaire verset par verset. Les paroles du prophète relatent les événements contemporains, du Ier siècle apr. J.-C.

LA BIBLE EN GREC
Le *Codex sinaïticus,* datant du IVe siècle apr. J.-C., est écrit à l'encre, en lettres onciales (c'est-à-dire capitales) sur du parchemin. Il fut découvert dans le monastère de Sainte-Catherine (à droite).

LA CACHETTE AUX MANUSCRITS
Les manuscrits de Qoumrân provenaient, croit-on, de la bibliothèque d'une sorte de monastère où vivait une communauté de juifs très pieux, les Esséniens. Lors de la première révolte juive, ils les auront déposés dans ces grottes, à l'abri des Romains (p. 55).

LE SUAIRE DE TURIN
Longtemps considérée comme la plus sacrée des reliques chrétiennes, cette étoffe était, croyait-on, le linceul dans lequel Jésus de Nazareth avait été enseveli après sa crucifixion. L'image extraordinaire qui y est reproduite serait celle du Christ.

Jésus demande qu'on «laisse venir à [lui] les petits enfants.»

TERRE SAINTE EN MOSAÏQUE
En 1884, un remarquable pavement en mosaïque fut découvert dans une église grecque orthodoxe, à Madaba, en Jordanie. Datant du VIe siècle, il représente une carte de la Terre sainte avec ses villes et ses édifices. Bien que très endommagée, elle restitue une belle illustration de Jérusalem, et des fragments de la vallée du Jourdain et du Néguev.

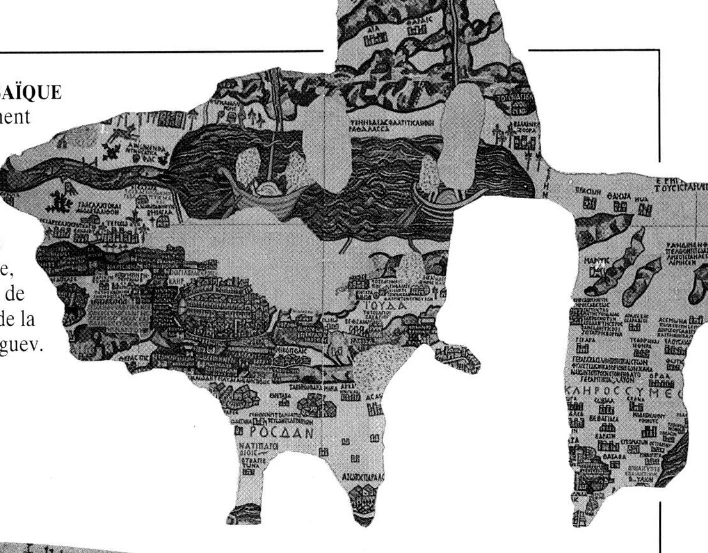

PAGE D'UN CODEX
Voici une page de l'Evangile selon saint Luc d'un codex du Ve siècle apr. J.-C., l'*Alexandrinus*.

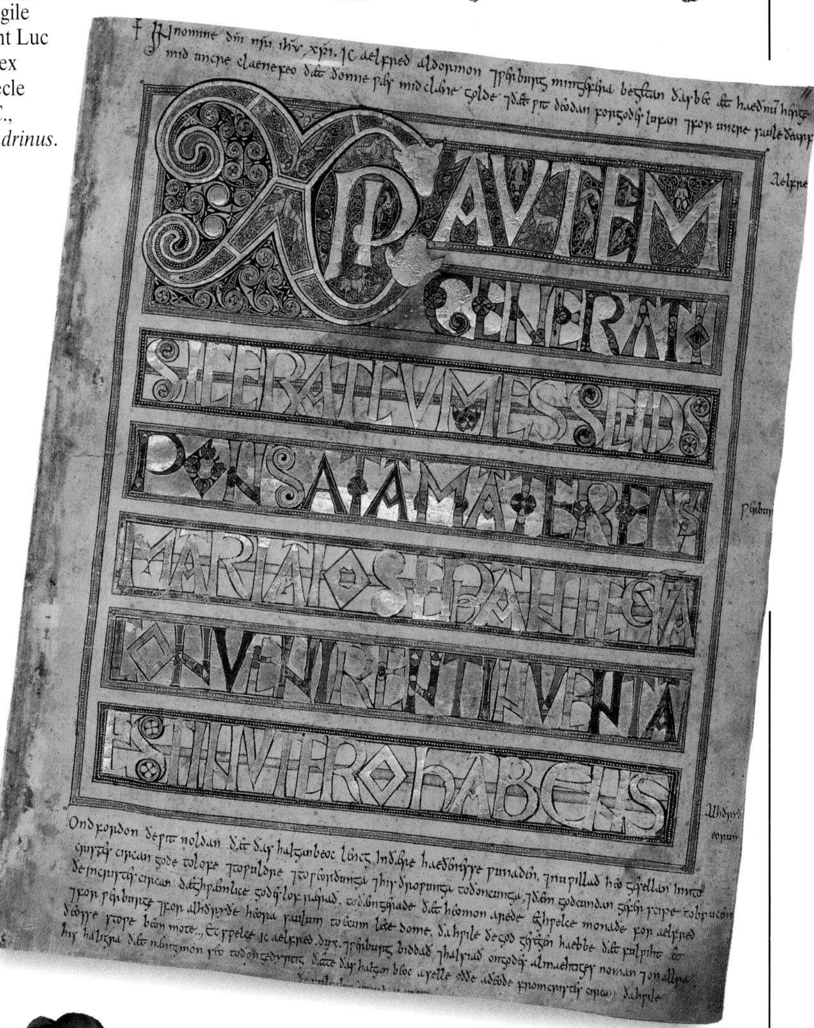

MANUSCRIT ENLUMINÉ
Au Moyen Age, les moines décoraient d'enluminures les manuscrits de la Bible. Ci-dessus, une page d'une bible datant environ de 750, conservée à la Bibliothèque royale de Stockholm.

AVANT LA CRUCIFIXION
Ce tableau du peintre flamand du XVe siècle, Quentin Massys, représente le Christ couronné d'épines.

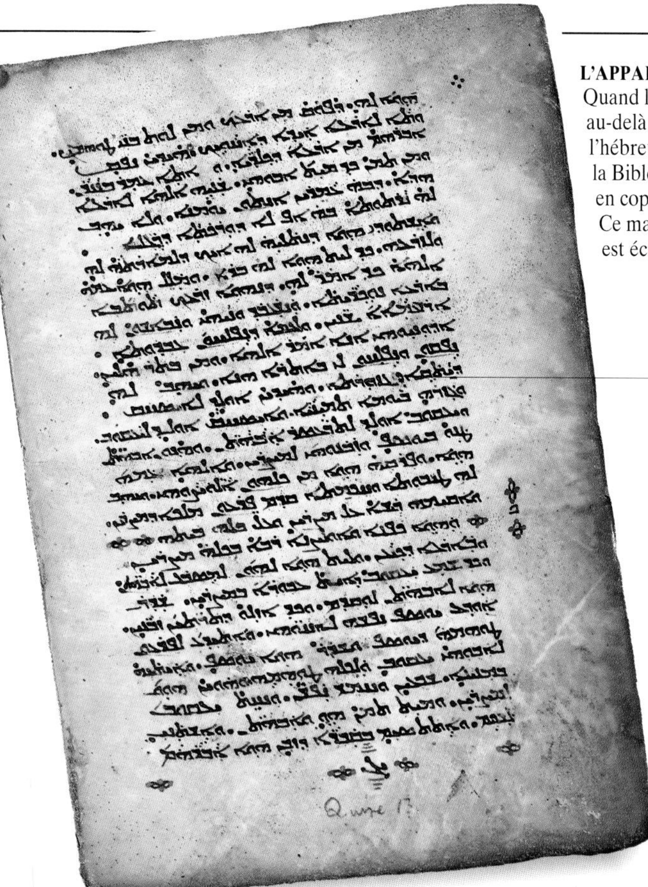

L'APPARITION DES TRADUCTIONS
Quand la religion chrétienne se répandit au-delà des territoires où l'on parlait l'hébreu et le grec, des traductions de la Bible firent leur apparition, en latin, en copte (égyptien), en syriaque. Ce manuscrit du Nouveau Testament est écrit en syriaque et date de 1216.

MOÏSE ET LES TABLES DE LA LOI
A sa descente du Sinaï, Moïse portait les tables de pierre sur lesquelles était gravée la Loi.

Texte en hébreu

LES ROULEAUX DE SYNAGOGUE
Les scribes hébreux copiaient minutieusement sur parchemin les livres de la Bible. Ces rouleaux étaient conservés dans les synagogues, lieux du culte juif.

LA BIBLE EN HÉBREU
Cette page d'une bible en hébreu contient le récit de l'Exode. C'est une bible récente, mais le texte a très peu changé par rapport à celui des manuscrits de Qoumrân, rédigés il y a près de 2 000 ans (p. 58).

JÉSUS AU TEMPLE
Un jour, on trouva au Temple Jésus adolescent en discussion avec les sages. Ce récit montre l'importance considérable que les Juifs accordent à l'étude et à la discussion – une tradition qui s'est maintenue jusqu'à nos jours. On voit ici l'épisode évangélique tel que l'a peint l'Anglais William Holman Hunt.

LE CHANDELIER À SEPT BRANCHES
Le mot hébreu *menorah* signifie lampadaire. Dans l'Ancien Testament il désigne spécifiquement le chandelier à sept branches qui se trouvait dans le Temple de Jérusalem et qui devint plus tard un des symboles du judaïsme. La menorah du Temple fut emportée par les Romains en 70. Elle est gravée sur l'arc de Titus (pp. 54-55), avec d'autres objets pareillement pillés.

LE ROI DAVID
David fut le second roi d'Israël. D'après la Bible, il avait d'abord été berger et fut aussi l'auteur des psaumes. On le voit ici sur un tableau du peintre italien le Pérugin (1445-1523).

LA PREMIÈRE BIBLE IMPRIMÉE
Johannes Gutenberg (1399-1468) a été un des inventeurs de l'imprimerie à caractères mobiles. Sa Bible, en latin, parut en 1456 et fut la première édition imprimée. Désormais beaucoup plus accessible au public, elle connut bientôt des traductions publiées dans les langues modernes de l'Europe.

Incipit liber bresith quē nos genesim
dicim⁹
In principio creauit deus celū
et terram. Terra autem erat inanis et
vacua: et tenebre erāt sup faciē abissi.
et sp̄s dn̄i ferebat̄ sup aquas. Dixitq;
deus. Fiat lux. Et facta ē lux. Et vidit
deus lucem q̄ esset bona: et diuisit lucē
a tenebris. appellauitq; lucem diem et
tenebras noctem. Factūq; est vespe et
mane dies vnus. Dixit q̄; deus. Fiat
firmamentū in medio aquaꝝ: et diui-
dat aquas ab aquis. Et fecit deus firmamentū: diuisitq; aquas que erāt
sub firmamento ab hijs q̄ erant sup
firmamentū. et factū ē ita. Vocauitq;
deus firmamentū celū: et factū ē vespe
et mane dies secūd⁹. Dixit vero deus.
Congregent̄ aque que sub celo sūt in
locū vnū et appareat arida. Et factū ē
ita. Et vocauit deus aridam terram:
congregacionesq; aquaꝝ appellauit
maria. Et vidit deus q̄ esset bonū. et
ait. Germinet terra herbā virentem et
facientē semen: et lignū pomiferū faciēs
fructū iuxta genus suū. cui⁹ semen in
semetip̄o sit sup terrā. Et factū ē ita. Et
protulit terra herbā virentē et facientē
semē iuxta genus suū: lignūq; faciēs
fructū et habēs vnūqdq; sementē scd̄m
speciē suā. Et vidit deus q̄ esset bonū:
et factū est vespe et mane dies tercius.
Dixitq; autē deus. Fiant luminaria
in firmamēto celi. et diuidāt diem ac
noctem: et sint in signa et tp̄a et dies et
annos. ut luceāt in firmamēto celi et
illuminēt terrā. Et factū ē ita. Fecitq;
deus duo lumīaria magna: lumīare
maius ut p̄esset diei et lumīare min⁹
ut p̄esset nocti et stellas. et posuit eas in
firmamēto celi ut lucerent sup terrā: et
p̄essent diei ac nocti. et diuiderent lucē
ac tenebras. Et vidit de⁹ q̄ esset bonū:
et factū ē vespe et mane dies quartus.
Dixit eciā de⁹. Producāt aque reptile
anime viuentis et volatile super terrā.
sub firmamēto celi. Creauitq; deus cete
grandia. et omnē aīam viuentē atq;
motabilē quā pduxerāt aque ī species
suas. et omne volatile scd̄m gen⁹ suū.
Et vidit deus q̄ esset bonū. benedixitq;
eis dicens. Crescite et mltiplicamini. et
replete aquas maris. auesq; mltipli-
centr̄ sup terrā. Et factū ē vespe et mane
dies quītus. Dixit quoq; deus. Pro-
ducat terra aīam viuentē in genē suo.
iumenta et reptilia. et bestias terre scd̄m
species suas. Factūq; ē ita. Et fecit de⁹
bestias terre iuxta species suas. iumenta et omne reptile terre ī genere suo. Et
vidit deus q̄ esset bonū. et ait. Facia-
mus hoīem ad ymaginē et silitudinē
nostrā. et p̄sit piscibꝫ maris. et volatilibꝫ celi et bestijs vniūseq; terre. omiq;
reptili qd̄ mouetur ī terra. Et creauit
deus hoīem ad ymaginē et silitudinē
suā. ad ymaginē dei creauit illū. ma-
sculū et feminā creauit eos. Benedixit-
q; illis deus. et ait. Crescite et mltiplicamini et replete terrā. et sbicite eā. et dn̄a-
mini piscibꝫ maris. et volatilibꝫ celi.
et vniuersis animātibꝫ que mouent̄
sup terrā. Dixitq; de⁹. Ecce dedi vobis
omnē herbā afferentē semen sup terrā.
et vniūsa ligna que hn̄t in semetip̄is
sementē gen̄is sui. ut sint vobis ī escā
et cunctis aīantibꝫ terre. omiq; volucri
celi et vniuersis q̄ mouentur in terra. et ī
quibꝫ est anima viuēs. ut habeāt ad
vescendū. Et factū est ita. Viditq; deus
cuncta que fecerat. et erāt valde bona.

Texte en latin

vij. Chapter. Fo. xiiij.
ner which hath vowed his offerynge vnto ẏ
Lorde for his abstynence/besydes that his hā
de can gete And acordyng to the vowe which
he vowed/euen so he must doo in the lawe of
his abstinence.
And the Lorde talked with Moses sayen
ge: speake vnto Aaron and his sonnes saye-
ge: of this wise ye shall blesse the childern of
Ysrael saynge vnto them.
The lorde blesse the and kepe the.
The lorde make his face shyne apon the
be mercyfull vnto the.
The lorde lifte vpp his countenaunce apō
the/and geue the peace. For ye shall put my na
me apon the childern of Ysrael/that I maye
blesse them.

Here of ye se that Aarō/wher he lift vpp his hande and blessed the people/was not dumme as oure bisshopes be.

The. vij. Chapter.
AND when Moses had full sett vp
the habitacion and anoynted it ād
sanctifyed it and all the apparell
there of/and had anoynted and sanctifyed ẏ
alter also and all the vessels there of: then the
prynces of Ysrael heedes ouer the housses of
their fathers which were the lordes of the try-
bes that stode ād numbred / offered ād broughte their giftes before the Lorde sixe coue-
red charettes and. xij. oxen: two and two a cha-
ret and an oxe euery man/and they broughte
them before the habitacion.

Texte en anglais

Un campement arabe peint par David Roberts (1796-1864)

LES TRADUCTIONS DE LA BIBLE
Les traductions anglaises firent leur apparition en 1384 avec la version de Wycliffe. William Tyndale, qui fut le premier traducteur anglais du Nouveau Testament, vit sa traduction paraître en 1526. On doit à Jacques Lefèvre d'Etaples (1450-1537) l'une des premières traductions françaises de la Bible, vers 1523.

EXPLORER LA PALESTINE

Les débuts de la recherche archéologique moderne en Terre sainte coïncident avec la constitution en 1865 du « Fonds pour l'exploration de la Palestine ». Grâce à un relevé topographique détaillé achevé en 1877, les archéologues purent disposer de cartes exactes. En 1890, le Fonds confiait à l'Anglais Flinders Petrie les fouilles de Tell el-Hesi dont les résultats furent déterminants. Petrie avait parfaitement compris ce qu'est un tell (pp. 14-15) et mit au point un système permettant de reconnaître les différents niveaux d'occupation. Il avait inauguré le principe de la méthode stratigraphique, toujours pratiquée de nos jours.

W.M.F. PETRIE
Petrie s'était déjà gagné une réputation en Egypte quand le «Fonds pour l'exploration de la Palestine» l'engagea.

LE PIOLET
Instrument adapté aux conditions du sol en Terre sainte, il permet de détacher avec soin des plaques de terre en ne causant qu'un minimum de dommages aux objets ou aux structures qui se trouvent dans le sol.

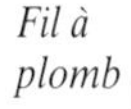

Fil à plomb

LA MIRE
On utilise une mire d'arpenteur longue de 2 m, sur laquelle alternent des bandes rouges et blanches de 50 cm chacune, pour effectuer les relevés topographiques et pour donner l'échelle sur les photographies de chantier.

ÉCHELLE STRATIGRAPHIQUE
Petrie avait compris qu'un tell (ici celui de Bet-Shân) s'est constitué pendant des générations par l'accumulation de débris. En enlevant les couches une par une, on remonte l'ordre chronologique de leur dépôt. Les éléments propres à chaque couche permettent de suivre l'évolution séculaire de la civilisation.

LE FIL À PLOMB
Il sert à faire les relevés et dresser des sections bien verticales. Une section est très précieuse pour l'archéologie, car elle fournit l'enregistrement visuel de la séquence des niveaux d'occupation.

UN LEVIER DÉLICAT
Cet outil de plâtrier permet de dégager les objets fragiles pris dans le sol.

UN GÉNÉRAL AUX COMMANDES
L'Anglais Charles Warren mena l'exploration de Jérusalem pour le compte du Fonds. Il recueillit quantité d'informations sur le dôme de la Roche et sur la plate-forme du Temple d'Hérode.

PRENDRE DES MESURES
En archéologie, la précision est essentielle. On utilise des mètres à ruban et des instruments de mesure comme le théodolite pour tracer des plans et effectuer des relevés.

LA TRUELLE
C'est l'outil par excellence de l'archéologue, mais on s'en sert peu pour les fouilles en Terre sainte car elle pourrait occasionner de gros dégâts. On l'emploie pour dégager les débris une fois le sol travaillé au petit piolet ainsi que pour tailler la face des «sections» verticales.

UN RELEVÉ QUI ANOBLIT
L'idée du «Fonds pour l'exploration de la Palestine» fut inspirée en partie par l'excellent relevé topographique de Jérusalem que le futur sir Wilson et une équipe du génie britannique entreprirent en 1864.

LE SINAÏ MIS EN CARTE
En 1868-1869, le Fonds monta une expédition au sud du Sinaï dans le but d'étudier les routes possibles de l'Exode. Le relevé fut exécuté par Wilson, alors capitaine, que l'on voit ici à l'arrière-plan, fumant sa pipe.

DANS LE SAC
Sur un chantier, un sac est indispensable pour transporter les carnets de notes, les mètres à ruban, les clous et les ficelles, un niveau, des étiquettes, etc.

Courroie pour porter le sac en bandoulière

PRATIQUE
Ces petits mètres métalliques de deux ou trois mètres de long sont précieux pour toutes sortes de mesures : plans, sections, structures, objets.

Pointe de la mire

INDEX

NOTES

Dorling Kindersley tient à remercier : Jacquie Gulliver pour sa recherche éditoriale ; Céline Carez, Bernadette Crowley et Claire Gillard pour leur participation ; Lisa Bliss, Kevin Lovelock et John Williams du British Museum pour leurs photographies ; Lise Sephton pour sa collaboration graphique ; Peter Akkermans, Rupert L. Chapman, Peter Dorrel et Kathryn W. Tubb.
Cartes d'Eugène Fleury. Maquettes de David Donkin.

ICONOGRAPHIE

(h = haut, b = bas, m = milieu, c = centre, g = gauche, d = droite)

J.C. Allen : 7b/ Ancient Art & Architecture Collection : 43hg/ Ashmolean Museum, Oxford : 38m/ Werner Braun : 6b, 27hg, 57md/ Bridman Art Library : 50bd détail, 57hd détail/ Christies, London 38bg/ Gavin Graham Gallery, Londres 32mg détail/ Guildhall Library 12b, 42m détail/ Collection privée 28hd/ Victoria & Albert Museum, Londres 30hd détail/ Trustees of the Bristish Museum, Londres : 8bg, 15hd, 18bg, 19b, 42md/ P. Dorell, Institue of archaelogy : 8md/ Musée égyptien, Le Caire : 20m/ E. T. Archive, Victoria & Albert Museum, Londres : 7hg/ Mary Evans Picture Library : 21bd, 26hg, 44hd/ Sonia Halliday Photographs : 6hg, 6mg, 14bg, 43m, 55hm, 62m/ Hamburger Kunsthalle : 34bd détail, 46hg détail/ Robert Harding Picture Library : 10mg, 49bd, 52bg/ Michael Holford : 28hg, 35mg, 38, 46-47/ Département des Antiquités, Musée d'Isarël, Jérusalem : 17h, 24bg, 35bm, 43hd/ Kobal collection : 37m/ Kunsthistorisches Museum, Vienne : 10-11b/ National Gallery, Londres : 30bd détail, 55mg détail/ Fonds pour l'exploration de la Palestine : 62hg, 62g, 63hg, 63hd/ Zev Radovan : 6cb, 13cg, 15hg, 15cg, 17cd, 27hd, 57c/ Scala : 55hg/ Jamie Simpson : 12c/ Sotheby's, Londres : 7hd/ Amoret Tanner : 12hg, 28mb, 29hg, 29bm, 32hd, 33bd/ Zefa : 7m, 50bg.

CHRONOLOGIE

Avant Jésus-Christ

Vers 5500	Néolithique / Introduction de la poterie, p. 8
IVe millénaire	Début de la civilisation cananéenne, p. 14
2030-1640	La Palestine sous contrôle égyptien, p. 12
Vers 1650	Descente des Hébreux en Égypte, p. 12
1730-1550	Dynastie amorite : les Hyksos, p. 12
1550-1150	Cananéens sous protectorat égyptien, p.16
1290-1224	Ramsès II, pharaon d'Égypte, p. 12
Vers 1250	Exode des Hébreux hors d'Égypte, p. 12
Vers 1220	Conquête de Canaan par les Hébreux, p. 12
1010-970	Le roi David, p. 20
Vers 1000	Prise de Jérusalem par David, p. 20
970-928	Salomon : construction du Temple, p. 20
928	Royaume de Juda et royaume d'Israël, p. 20
Vers 880	Fondation de Samarie, p. 20
722	Prise de Samarie par les Assyriens, p. 46, 48
716-687	Ezéchias, roi de Juda, p. 46
671-650	Les Assyriens en Égypte, p. 48
612	Nabopolassar et Cyaxare renversent l'État assyrien, p. 50 et 52
604-562	Nabuchodonosor II, p. 50
597	Première déportation des Juifs à Babylone, p. 52
586	Prise de Jérusalem, deuxième déportation, p. 50
539	Cyrus annexe la Palestine, p. 52
538	Retour des Juifs après l'édit de Cyrus, p. 52
522-486	Darius Ier, p. 52
490-449	Guerres médiques, p. 52
486-465	Xerxès Ier, p. 52
336-323	Rège d'Alexandre le Grand, p. 54
197-142	La Palestine occupée par les Séleucides, p. 54
167	Antiochus IV s'empare de Jérusalem, p. 54
140-63	Indépendance de Juda, p. 54
64	Pompée conquiert la Syrie et la Palestine, p. 54
40-4	Règne d'Hérode le Grand, p. 56
6	Naissance de Jésus-Christ à Nazareth, p. 57

Après Jésus-Christ

66-70	Première révolte juive en Palestine, p. 55
70	Destruction du Temple de Jérusalem, p. 55
132-135	Deuxième révolte juive écrasée par Hadrien, p. 25, 55